公立高校教師 YouTuber
ムンディ先生こと
山﨑圭一

世界史と地理は同時に学べ!

JN040307

SB Creative

はじめに
「世界史」と「地理」の〝横断〟で学びが10倍楽しくなる！

「世界史」と「地理」の両方の視点から読み解く

「なぜ、フランスはヨーロッパの大国として長らく君臨することができたのか？」

中世から近代にかけて、フランスはヨーロッパ史のつねに主役でした。

高校の世界史に登場する、17世紀に領土拡大戦争を起こした「太陽王」ルイ14世や、フランス革命後に皇帝に即位し、ヨーロッパ大陸を支配したナポレオンなどの名前を覚えている人も多いのではないでしょうか。

冒頭の問いに対して、もちろん歴史的な視点から答えることはできますが、じつは、**「地形」という地理的な視点からも、1つの答えを出すことができる**のです。

フランスのパリ周辺は、緩斜面と急斜面が交互に表れる「ケスタ地形」という独特の地形が形成されています。

ケスタ地形の緩斜面は小麦、急斜面はぶどうの生産に生かされ、農業国フランスの景観を形づくってきました。

その一方で、ケスタ地形は、他の国からの攻撃を防ぐ強力な「防衛線」としての役割も担っていたのです。

そして、第二次世界大戦でドイツ軍の航空機の前でケスタ地形が無力化されてしまうことで、防衛線としての役目を終えることになります。

このように、**本書では「世界史」と「地理」が両方とも深くかかわるような事件や交差する事柄を選び、世界史と地理の両方の視点から読み解きます。**

様々な角度から眺めることで、学びはより深まる

本書を手に取ってくださった人の中には、学生時代に世界史、日本史、地理の3つの科目をすべて学んだ、という人は少ないのではないでしょうか。

「地理歴史科」の一教員として、以前からそのような状況が非常にもったいないという気持ちを抱いていました。

なぜなら、世界史、日本史、地理には、それぞれ違った面白さがあるうえに、歴史と地理には密接な関係もあるからです。

また、歴史に限らず、学問を勉強するときには、1つの視点だけでなく、様々な視点から眺めることで、学びをより深めることもできます。

現在、私は学校の教員として高校生に歴史や地理を教え、YouTubeでは、これまでに世界史と日本史、そして地理の動画授業を配信してきました。

そして書籍でも、世界史、日本史、地理の3つについて「一度読んだら絶対に忘れない」シリーズで出版しています。

世の中に「地理歴史科」の先生は数多くいますが、世界史と日本史、そして地理の3つの分野すべてで本を出版している人は、私が知る限りではいないのではないかと思います。

世界史と地理という2つの科目を〝横断〟するという少し〝挑戦的〟な本書が、学生時代に世界史を学んだ人は地理に、地理を学んだ人は世界史に興味を持つひとつのきっかけとなれば幸いです。

山﨑圭一

第2章　南北アメリカ大陸

第3章　中国・インド・東南アジア

第4章 アフリカ・西アジア・オセアニア

第5章　世界史と地理から読み解く「世界遺産」

第1章
ヨーロッパ

Number

01

古代

なぜ、地中海周辺は「大理石でできた遺跡」だらけなのか？

世界史用語

パルテノン神殿　コロッセオ　ミロのビーナス　ダヴィデ像　大理

地理用語

大陸移動説　パンゲア　テチス海　ヒマラヤ山脈　テラロッサ　タワーカルスト

「大理石だらけ」の地中海沿岸

パルテノン神殿、コロッセオ、ミロのビーナス、ダヴィデ像。

このような高校の世界史に登場する古代ギリシアやローマ、ルネサンスの文化で紹介される歴史遺産の多くが大理石でできています。

大理石は、「結晶質石灰岩」のニックネームで、石灰岩の一種です。大昔のサンゴや貝殻が積み重なってできた岩石が、マグマなどの熱と圧力を受けて再結晶すると、いわゆる「大理石」になります。

サンゴや貝殻がたくさんある場所といえば、海です。

それも、暖かい海になります。**サンゴ礁があるような、暖かい海が大理石のふるさと**

になるのです。

しかし、現在の地中海は大規模なサンゴ礁が形成されるほど、暖かい海ではありません。緯度も日本の東北地方ぐらいです。

ということは、かつて地中海は暖かい南の海だったということなのでしょうか？

昔の地中海は「テチス海」だった

高校の地理では、「**大陸移動説**」を学習します。

大陸移動説とは、大陸が長い時間をかけて地球上を移動するという説です。

今から約2億5000万年前という大昔に、大陸が移動する中で「**パンゲア**」という大陸が形成されました。それが**ローラシア大陸**と**ゴンドワナ大陸**に分かれ、長い時間を経て現在の大陸の配置になったとされます。

このパンゲアからローラシア大陸とゴンドワナ大陸に分かれた約1億8000万年前、両大陸の間にあった海が、「古地中海」といわれる「**テチス海**」です。

テチス海は、現在の地中海周辺から中央アジア、そしてヒマラヤから中国南部や東南アジアにまで広がっていました。

ここで注目したいのは、当時の**テチス海が赤道沿いに広がっていた**ことです。テチス海沿岸の浅い海域には、サンゴ礁が大いに発達していたことでしょう。

大陸移動説によると、アフリカ大陸とユーラシア大陸はテチス海をふさぐようにつながります。

そして、インドはゴンドワナ大陸から分かれて、テチス海を横切るように移動してユーラシア大陸に衝突します。

この衝突によりできた大きなしわが、**ヒマラヤ山脈**というわけです。

中東で石油が採れるのも「テチス海」が理由だった

西から東へと「テチス海」の痕跡をたどってみましょう。

かつて暖かい海だった「古地中海」からできたヨーロッパの地中海沿岸には、大理石がたくさん存在します。

地中海周辺に大理石の歴史遺産が多いのも、そのためなのです。

また、イタリアやスペインには、「**テラロッサ**」という赤い土壌が分布しています。「テラロッサ」は石灰岩が風化してできた土壌です。赤い土と大理石の建物という、地中海沿岸の風景は、太古のテチス海の名残なのです。

さらに目を東側に移してみると、現在の中東、サウジアラビアやイラク、イランなど、いわゆる中東にあたる地域があります。

中東地域、特にペルシア湾岸では石油が豊富に採掘されます。石油は大昔の海底にプランクトンなどの生物の死骸が積もってできたものです。

この「大昔の海底」が、テチス海の海底というわけなのです。

栄養豊富な暖かい海で、プランクトンなどの生物がよく発生していたことでしょう。

大理石の名前のもとは中国南部の国家だった

インド方面に目を移すと、「世界の屋根」といわれるヒマラヤ山脈があります。

ヒマラヤ山脈はインドがユーラシア大陸にぶつかってできた山脈で、そのときにテチス海だった海底は大きく持ち上げられました。

その証拠に、**ヒマラヤ山脈の最上部は石灰岩でできており、チョモランマの山頂付近には海の生物の化石も発見されています**。

かつてのテチス海は中国南部や東南アジアにも広がっており、この地域にも痕跡を見つけることができます。

中国の雲南省に、「大理」という町があります。

「大理」には、かつて**大理**という国家があり、中国の宋王朝ともかかわりがありました。

「大理」で産出される石が、すなわち「大理石」なのです。

さらに東側には、世界遺産にもなっている桂林の景観があります。

ここには、石灰岩の地層が雨水の侵食を受け、溶け残った部分が塔のようにそびえる、**タワーカルスト**という地形が見られます。ベトナム北部のハ・ロン湾はタワーカルストが海に沈んだ地形で、石灰石でできた無数の島が、美しい景観をつくっています。こちらも、世界遺産に指定されています。

ユーラシア大陸の東西を結ぶ「石灰岩ベルト」

このように、世界にはテチス海がもとになった「石灰岩ベルト」ともいえる地域があることがわかります。

ギリシアやローマの美しい彫刻や建築に、中国南部の国家の名称に由来する「大理石」の名が付けられているということが、「石灰岩ベルト」の東西を結ぶネーミングになっていて、非常に興味深く感じられます。

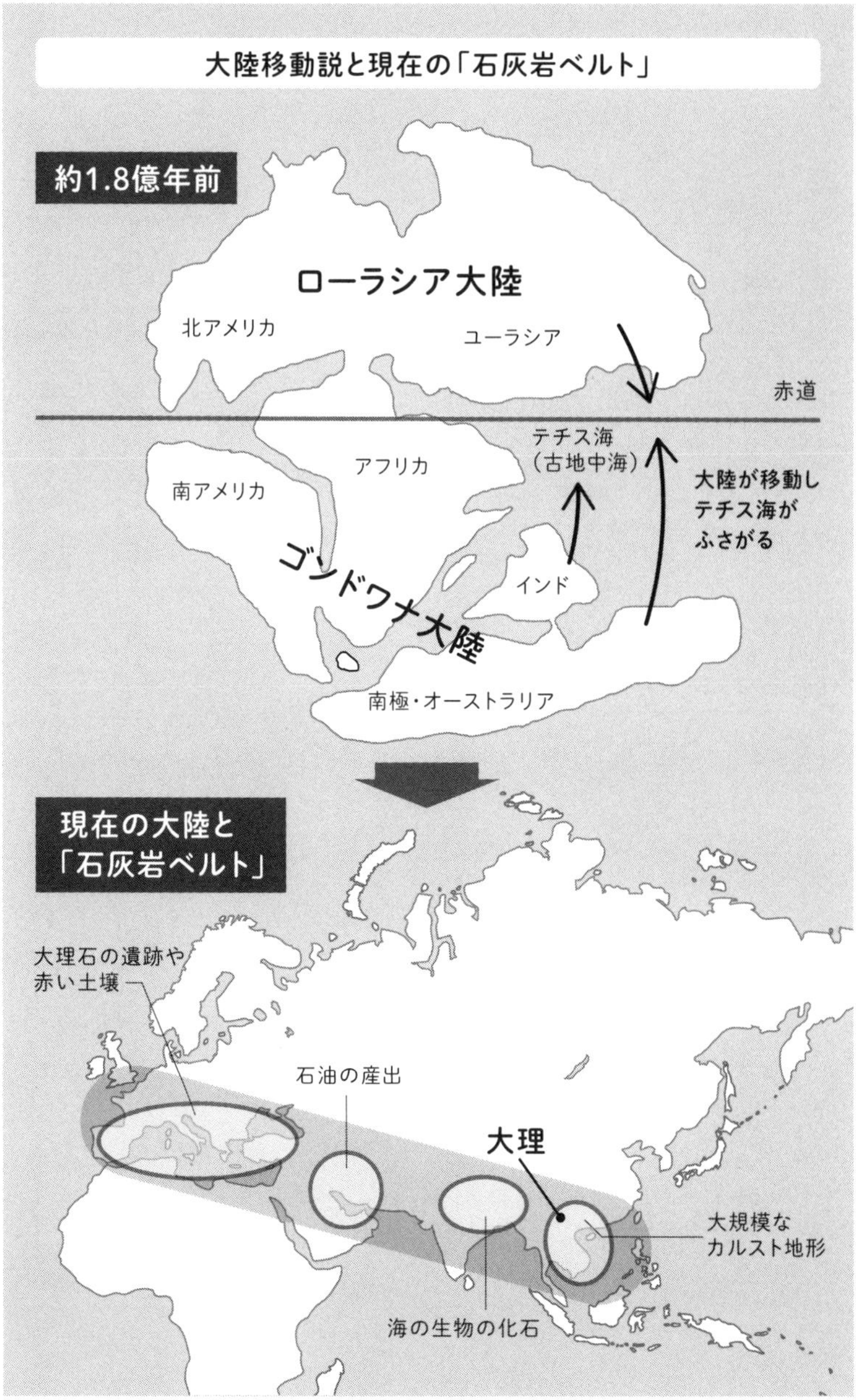
大陸移動説と現在の「石灰岩ベルト」
約1.8億年前
ローラシア大陸
北アメリカ
ユーラシア
赤道
テチス海
（古地中海）
アフリカ
南アメリカ
大陸が移動し
テチス海が
ふさがる
ゴンドワナ大陸
インド
南極・オーストラリア
現在の大陸と
「石灰岩ベルト」
大理石の遺跡や
赤い土壌
石油の産出
大理
大規模な
カルスト地形
海の生物の化石

Number

02

古代

なぜ、フランスやイタリアに「ギリシア人がつくった都市」がたくさんあるのか？

世界史用語

植民市　都市国家

地理用語

地中海性気候　亜熱帯高圧帯　コート=ダジュール

地中海に点在する「ギリシア人がつくった観光地」

前項でお話しした大理石の神殿や遺跡、そして美しい彫刻の数々を見ることは、地中海沿岸の国々を旅する最大の醍醐味です。

なぜ、地中海沿岸がバカンスの目的地になりやすいのでしょうか。

先ほどのパルテノン神殿やコロッセオなど、美しい大理石の歴史遺産もその理由のひとつですが、気候からもその理由をうかがい知ることができます。

それは、地中海性気候が気候の中でも珍しい少数派で、**唯一、夏に降雨が少ないという特徴があるからです**。他の気候は、おおむねどの気候帯でも夏に雨が多い（気温が高いと上昇気流が発生しやすいことと、地表の水分が蒸発しやすいので、空気がよく水蒸気を含むことによります）のですが、**地中海性気候**は夏に**亜熱帯高圧帯**がさしかかるため、乾燥しやすいのです。せっかくの夏のバカンスならば、天気のよいほうが楽しめるため、人々は地中海沿岸に向かう、というわけです。

高校の地理では観光についても学びますが、ヨーロッパの国々の観光の収支を見ると、**ドイツやイギリスなど、ヨーロッパの比較的北に位置する国々の観光収支はマイナス、そして地中海沿岸の国々はプラスにはっきりと分かれます**。

ヨーロッパの国々では夏に長期休暇、すなわちバカンスをよくとりますが、バカンスで儲かっているのが、地中海沿岸の国々なのです。

そうした地中海沿岸の観光地には、ナポリなどの南イタリアや、フランスとイタリアの国境付近の小国のモナコ、フランス南部のニースなどのいわゆる「**コート＝ダジュール**」、マルセイユなどが特に人気です。

また、「シチリアレモン」などで知られるシチリア島なども、風光明媚な観光地です。

じつは、ここに挙げた都市は**ギリシア人がつくった植民市が由来です**。

それだけでなく、ギリシア人がつくった都市はスペインからロシアの黒海沿岸に至る広大な領域に点在し、その多くが観光地になっています。

ギリシア人が植民市をつくった理由

ギリシアの植民市が地中海沿岸に多くつくられた理由は、ギリシアの地形や気候に求めることができます。

現在のギリシア共和国にあたる地域は、山が多く石灰岩質の土地のうえ、夏に雨が少ないので、穀物を生産する農業には不向きです。

そのため、狭い土地に人口が集中する**都市国家**の人口が増加すると、その人口が養えません。外に土地を求め、移住して移住先に植民市をつくるのです。ギリシアが繁栄し、人口が増えれば増えるほど、植民市は増えていくというわけです。

こうした植民市は、現在もギリシア語に由来する名称で呼ばれています。「ニース（勝利の女神ニケ）」や「タラント（タレス）」などのギリシア神話にちなんだ名前や、「ネアポリス（ナポリ：新しい街）」や「モナコ（ただひとつの）」、「シラクサ（湿地）」などが、ギリシア語に由来する代表的な地名です。

これらの植民市をつなぐことにより交易のネットワークが形成され、ギリシアに地中海中の産物が集まることで、さらなる繁栄が訪れたのです。

観光客の多い港町の共通点

こうしたギリシア人由来の都市には、ひとつの傾向があります。

それは、**小高い丘に取り囲まれた、比較的狭い範囲に街をつくる**ことです。

人が暮らすならば、広い土地があったほうがいいように思えるのですが、山がそのまま海に落ち込んでいるような、狭い土地に人々が密集して暮らしているところに街があります。

これは、ギリシアが海での交易を重視することからきています。山地から海にそのまま落ち込んでいるような、高低差がある土地だと、**船が横付けできるので、それが天然の港になるのです**。

一方、平野に港をつくると、船を横付けするために遠浅の海岸を掘り込まなければなりません。**日本でも、神戸や長崎など、「良港」とされる街の背後には山や丘があり、一見、坂が多くて不便なような、山と海の間の狭い平野部や傾斜地に、人が密集して暮らしています**。これを観光の面から見た場合、山の上から見下ろすと、見事な景色となり（現代では、美しい夜景も楽しめます）、さらに観光客の心をひきつけるのです。

ギリシア人と地中海性気候

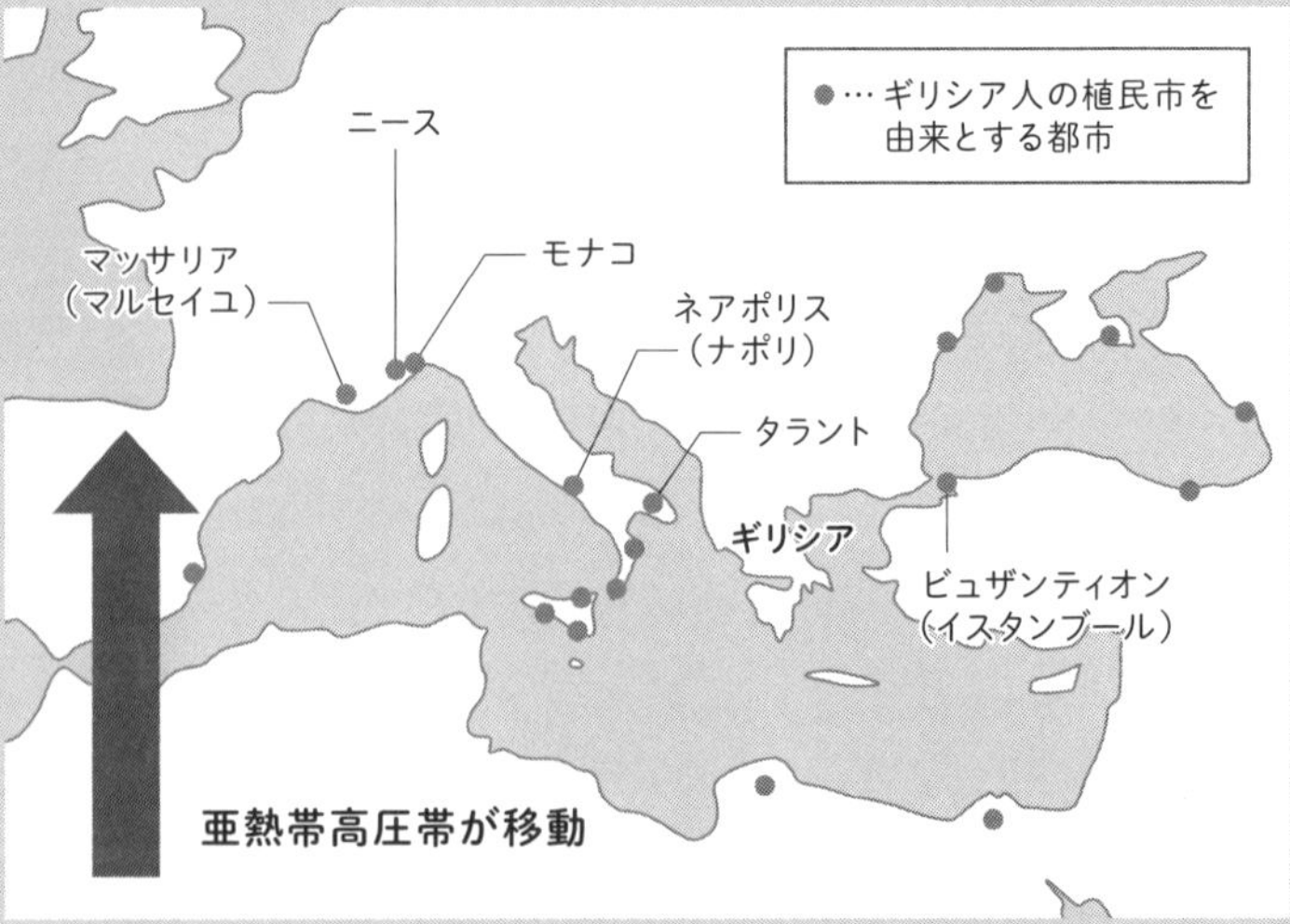

北半球が夏…太陽が北半球をよく照らす

↓

亜熱帯高圧帯が北上し、
夏に少雨の気候（地中海性気候）ができる

○ **傾斜地**
船が横付けでき
見晴らしもよい

✕ **遠浅の海**
船が
横付けできない

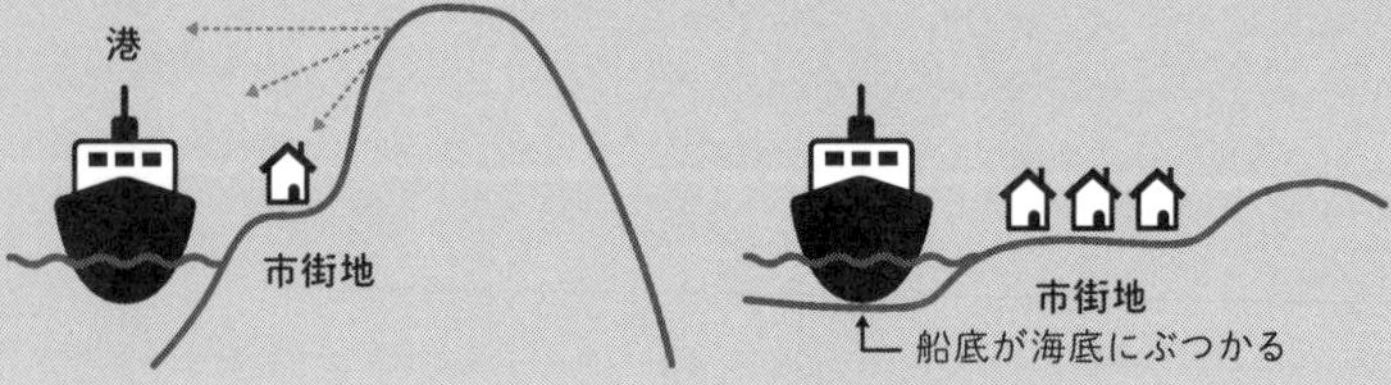

Number
03
古代
「最強・ローマ帝国」を悩ませ続けた唯一の〝弱点〟「2つの川のすきま」とは？

世界史用語
ローマ帝国　トラヤヌス　ウィーン　ブダペスト

地理用語
ライン川　ドナウ川　国際河川　マイン=ドナウ運河

ローマの防衛線となった2つの大河

「ローマは一日にして成らず」というように、イタリア半島でおこった都市国家ローマは、長い時間をかけて支配領域を拡大し、西ヨーロッパのほとんどを支配した巨大帝国になりました。盛んに征服活動を行うとともに、支配地で道路や水道などの土木工事を盛んに行って、統治の基盤をつくったのです。

しかし、「五賢帝」の一人である皇帝**トラヤヌス**がローマ帝国の最大領域をもたらしたとき、ローマ帝国は拡大の限界に達し、その後は国境線の防衛で手いっぱいになってしまいます。

こうしたローマ帝国の国境線の中で最も重要だった場所が、**ライン川**と**ドナウ川**という2つの大河です。

ローマ帝国はゲルマン人などの侵入を防ぐため、この2つの川沿いに多くの前線基地をつくり、川を渡ってくる異民族に備えました。**ドイツの都市ケルンや、オーストリアの首都ウィーン、ハンガリーの首都ブダペストはそのようなローマの前線基地を由来とする都市です。**

ローマの弱点だった2つの川の「すきま」

ドナウ川とライン川（支流も含みます）がローマの国境といっても、2つの川が上流でつながっているわけではありません。
この**2本の川の「すきま」は、異民族の侵入をゆるしてしまう、ローマの〝弱点〟になっていた**のです。
そこで**ローマは、この2本の川をつなぐ、陸上の防衛線をつくります**。万里の長城のような高さ3m程度の長城を築き、物見やぐらと砦を配置したのです。この防衛線を「リメス」といい、総延長は550㎞にのぼるといいます。
リメスの跡は、「ローマ帝国の国境線」として現在では世界遺産に登録されています。

大河をつなぐ70年かかった大工事

現在、ライン川とドナウ川は、「**国際河川**」として、ヨーロッパの河川交通の大幹線になっています。

もともと、ローマの前線基地からできた大都市が数珠つなぎになっているので、この2つの川は、川そのものがそのまま大都市をつなぐ重要な交通路になっているようなものです。それならば、「この2つの川をつなげば、さらに便利だろう」と考える人が出てきても不思議ではないでしょう。大都市をつなぎながら北海から黒海までを船で移動できる交通路になるはずです。

昔からこの2つの川をつなごうという考えはあったものの、実際に工事が始まったのは1921年でした。

2つの大戦と冷戦期をはさみ、ようやく1992年にライン川の支流、マイン川とドナウ川をつなぐ、「**マイン＝ドナウ運河**」が完成しました。これにより、**黒海と北海がつながり、海を経ずして東ヨーロッパから西ヨーロッパまで物資を運ぶことができるようになりました**。かつての「リメス」は東西を隔てる壁でしたが、現在はEUを結びつける存在になっているのです。

ローマ帝国の防衛線

ローマ帝国の最大領域と「リメス」

現代の「マイン＝ドナウ運河」

Number

04

古代

なぜ、ローマから遠く離れたルーマニアが「ローマの国」なのか？

世界史用語
ローマ帝国　トラヤヌス　ダキア人

地理用語
ルーマニア　スラヴ語系　ラテン語系

「ローマ」の名を持つ東ヨーロッパの国

東ヨーロッパの**ルーマニア**は、ドラキュラ伝説や冷戦の時期に独裁を行っていたチャウシェスク大統領などで知られる国です。

このルーマニアの国名をアルファベットで表記すると、「Romania」です。この「Roma」とは、**ローマ帝国**のことです。

ルーマニアの国歌の2番には、「今こそ世界へ証明しよう。この手の中にローマ人の血が流れていることを。我らの胸には誇らしい名前が刻まれている。戦争の英雄、トラヤヌスの名前が」というような意味の歌詞があります。

ローマはイタリア半島に位置する都市であり、ローマ帝国もイタリア半島を中心に拡大した国家です。

なぜ、東ヨーロッパの国であるルーマニアが、離れた「ローマ」を名乗っているのでしょうか？

ローマ帝国に最大領域をもたらした皇帝トラヤヌス

この疑問を解くカギは、ルーマニアの国歌の歌詞の中にもある「**トラヤヌス**」という人物です。

トラヤヌスは、**ローマ帝国の「五賢帝」の中に数えられる名君で、ローマ帝国の最大領域をもたらしました。**

このローマ帝国の「最大領域」をもたらしたトラヤヌスの大規模な征服活動のひとつが、このルーマニアに対する征服活動だったのです。

ローマ帝国にとって、2本の長い防衛線がライン川、そしてドナウ川です。

ルーマニアは、ローマ帝国にとってドナウ川の向こう側にあたる地域です。ここに居住していた**ダキア人**と呼ばれる人々が、彼らの王に率いられ、しばしばローマ領内に侵入しました。**ドナウ川流域は、ローマ帝国の「急所」ともいえる場所だったのです。**

ローマ帝国側からすると、ダキア人にドナウ川の防衛線を突破されると、そのままアドリア海に到達され、イタリア半島が脅かされることになります。ダキア人がアドリア海に到達することによって、ローマ帝国が東西に分断される可能性も高まってしまうのです。

そこで、トラヤヌスは大規模な遠征を行い、ドナウ川の向こう側のダキアを征服することにしました。

この征服は成功し、トラヤヌスは意気揚々とローマに凱旋します。

ローマにある観光名所のひとつである「トラヤヌスの記念柱」には、そんなトラヤヌスのダキア遠征の様子が描かれています。

進められたダキアの「ローマ化」

この時期を境に、ローマ帝国によるダキアの「ローマ化」が始まります。

ローマ帝国にとって防衛上の要地であるダキアにローマ人を多く移住させ、本国との一体化を進め、ローマを守る最前線を強化しようとしたのです。

そして、多くのローマ人が移住し、言語や文化もローマと一体化することで、国歌にもうたわれているような、「ローマ人の血」が流れ、言語や文化もローマの影響を色濃く残す、「ローマ」の名を冠した「ルーマニア」が誕生したのです。

ヨーロッパの言語分布を見ると、現在でも、ルーマニアは**スラヴ語系**言語や、ウラル語系の言語を話す国々に囲まれる中、**イタリアやスペインと同じローマ帝国の歴史を汲む、ラテン語系の言語であるルーマニア語が「少し離れて」話される地域になっているのです**。

行われた民族の「同化」

ルーマニアにとって、ローマ帝国は間違いなく栄光あるルーツのひとつともいえます。

しかし、**見方によっては、民族の「同化」に他なりません**。

自国民に占領地への移住を促し、言葉や文化の変化を強いて民族的に同化をはかることは、歴史のひとつのパターンになっており、しばしば大きな悲劇がもたらされます。

ダキアの人々の中には、ローマ帝国との同化をよしとしない人や、抵抗した人もいたのではないでしょうか。

現在、私たちが知る「書かれた歴史」の裏には、きっと「書かれなかった歴史」も多くあることでしょう。

ローマ帝国の最大領域とルーマニア

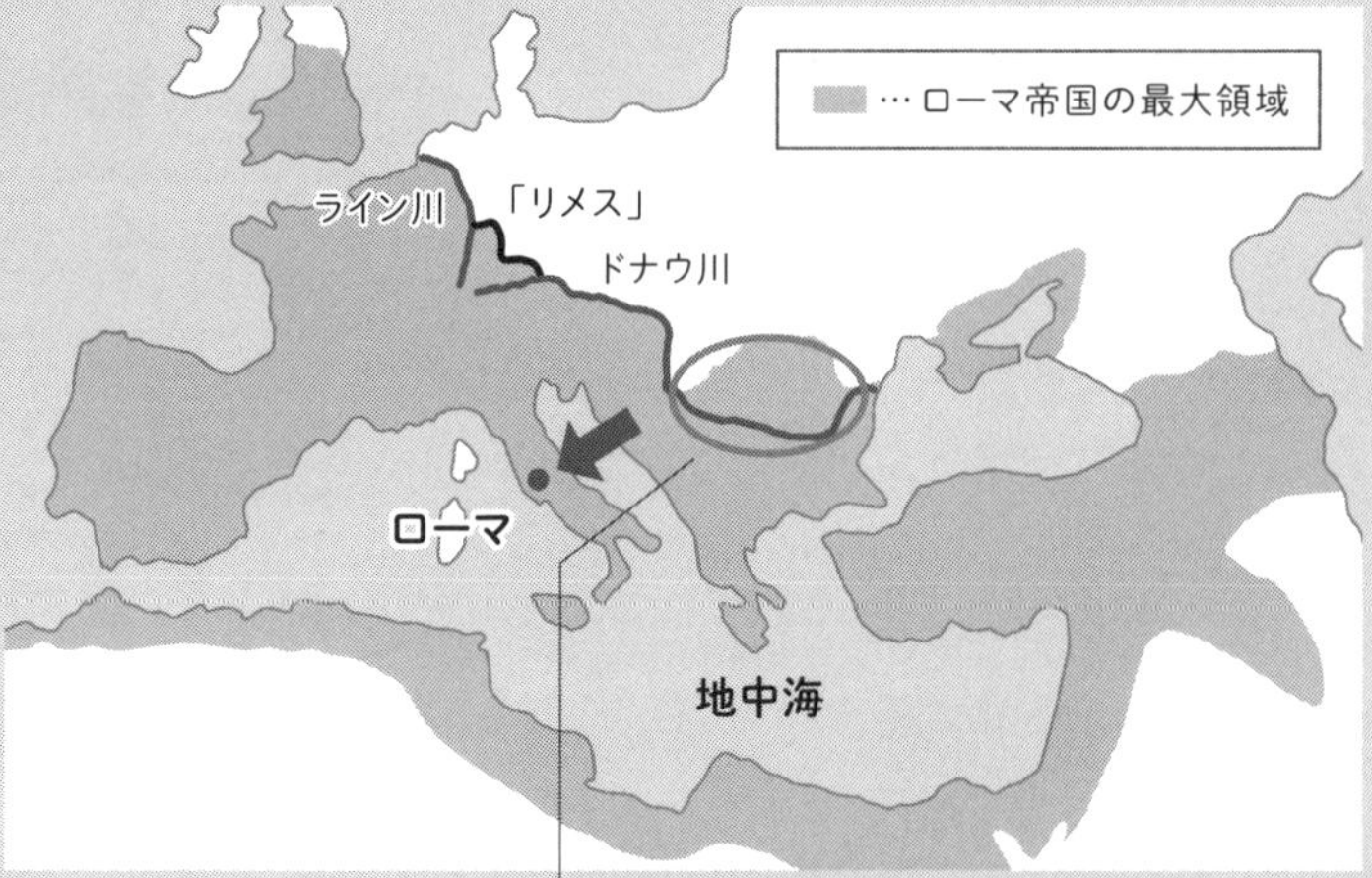

ローマ帝国の「急所」ダキア
アドリア海まで到達すればイタリア半島が危うくなる
➔トラヤヌス帝による征服が行われる

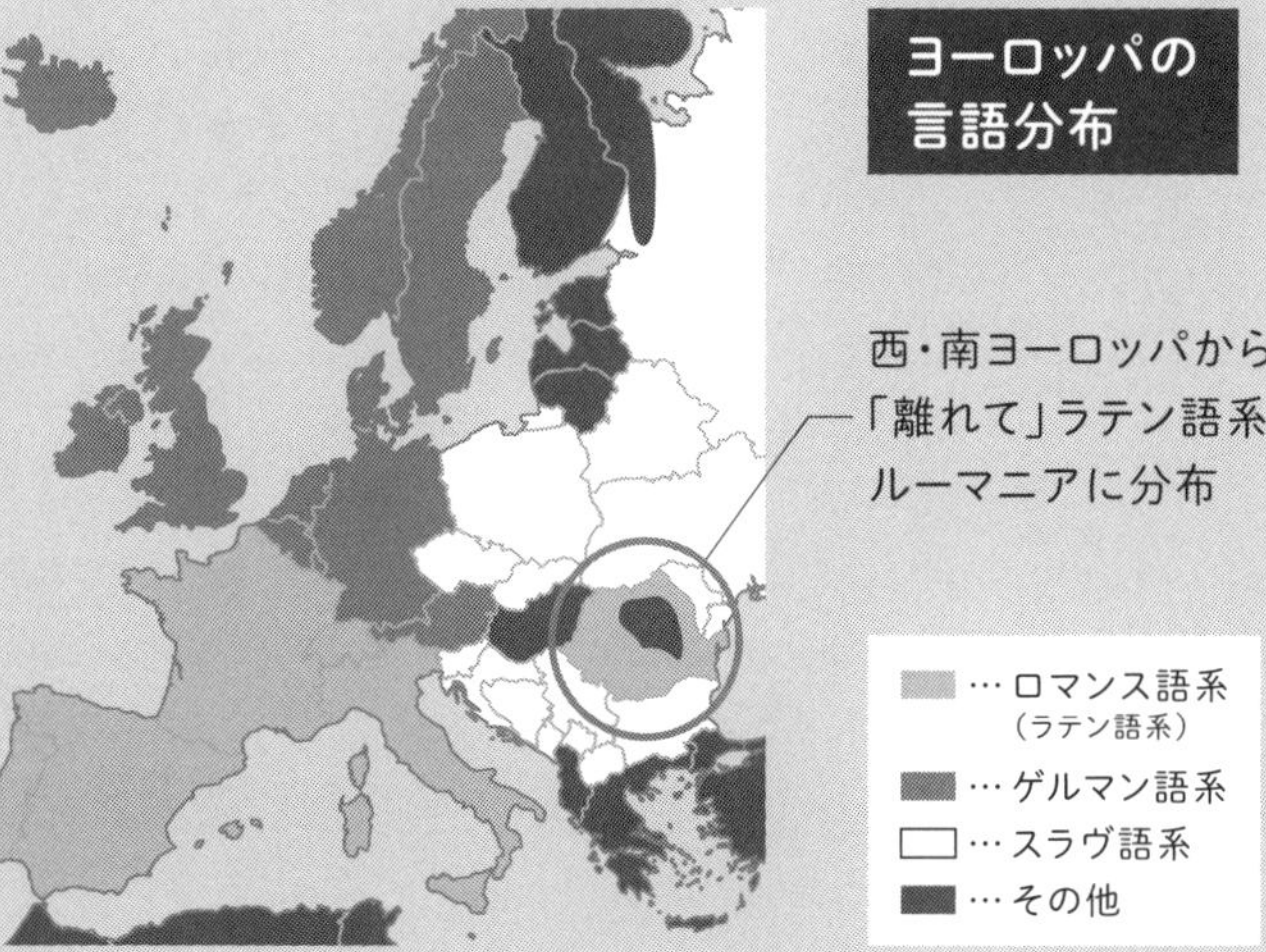

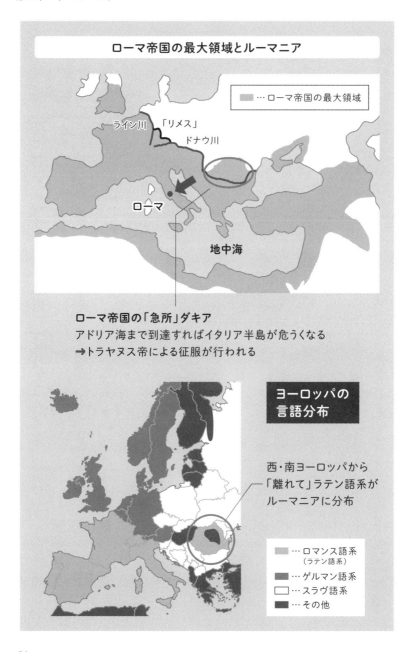

Number

05

中世

じつは、ヨーロッパの多くの国がドイツのことを「ドイツ」と呼ばない

世界史用語
ゲルマン人　ローマ帝国

地理用語
ゲルマン語派　ラテン語派　スラヴ語派

フランス語で「ドイツ」は「アルマーニュ」

以前、私がヨーロッパ旅行をしたときのことです。

フランスから国境を越えてドイツに向かうため、フランスのとある町で、次の目的地であるドイツのフランクフルトのホテルを予約しようとしました。

ドイツの項目は「ドイッチュラント」または「ジャーマン」あたりだろうと考えてチェーンのホテルにあったパンフレットを開いてページをめくってみたものの、ドイツの情報が記載されているページが一向に見当たりません。しばらくして、パンフレットの先頭あたりに、「Allemagne」という文字を見つけました。そして、翌日に泊まろうと思ったフランクフルトのホテルを「Allemagne」のページで見つけることができま

した。このとき、フランス語でドイツのことを「アルマーニュ」と呼ぶことを初めて知ったのです。

「自国の呼び名」と「外国からの呼び名」が違う国は多い

日本では、自分たちの国を「ニッポン」や「ニホン」といい、「ジャパン」とはあまりいいません。同様に、ハンガリー人は自国のことを「マジャール」、フィンランド人は自国のことを「スオミ」といい、「ハンガリー」「フィンランド」とはあまりいいません。

このような例は、いくつもありますが、**ドイツほど、周辺の国の人々から様々な呼ばれ方をしている国はないかもしれません。**

フランスやスペインなどは、ドイツのことを「アルマーニュ」や「アレマニア」といい、英語やイタリア語では「ジャーマン」や「ゲルマン」（イタリア語ではドイツは「ゲルマニア」ですが、「ドイツの」「ドイツ人」を示す言葉は「テデスコ」といいます）、フィンランドでは「サクサ」と呼びます。

また、ポーランドなど東欧の国では「ニェメツィ」に近い言葉を使います。

ドイツ語でドイツは「ドイッチュラント」

ドイツ語で、ドイツは「ドイッチュラント」です。ドイッチュは「ローマ的でない人」の意のローマの古語ティウティッシュ（Tiutish）からきているとされ、ドイツの起源であるゲルマン人が、ローマ帝国の国境線の外にいたことが由来です。要は、**自分たちのことを「ローマの外」と表現している**わけです。現在では、「ローマ的ではない」というもとの意味合いが失われ、「我々の国」というニュアンスで使われます。

ローマ帝国目線で見ているイギリス・イタリア

一方、「ローマ側」からは、ゲルマン人の居住地を「ゲルマニア」と呼んでいました。その名残から、かつてローマ帝国の中心地だったイタリアでは、現在もドイツを「ゲルマニア」と呼び、ローマ帝国の支配下にあったイギリスも、ドイツを「ジャーマン」と呼ぶのです。要は、いまだに「ゲルマン人」と呼ばれているわけです。

イタリア人が「ドイツという国」を指すときは「ゲルマニア」ですが、「ドイツ人」や「ドイツの」というときには「テデスコ」といいます。「テデスコ」とは、「民衆の」という意味です。ドイツ人が話している言葉について、「ラテン語」とは違う「大衆の言葉」と表現しているのです。

ゲルマン人の「分類」で呼び合うフランスとドイツ

続いて、フランスを見てみましょう。

フランス語で、ドイツのことは「アルマーニュ」といいます。

これは、**ゲルマン人の中でも、「アレマン人」と呼ばれた人々が由来**です。

アレマン人は、現在でいうところのスイス北部のチューリヒからドイツ南西部のマンハイム付近に暮らしていたゲルマンの一部族です。ちょうど、現在のフランスとドイツの国境付近に位置します。一方、ドイツからはフランスのことを「フランクライヒ」といいます。その名の通り、フランク族の国という意味です。

フランスとドイツは、国境を接しており、長い戦いの歴史があります。国境線がしばしば変わり、国境付近の地域はお互いの領域に取り込まれることがありました。

こうした歴史の中で、フランスとドイツは「ゲルマン人」という大きな分類での呼び方でなく、「アレマン人」「フランク人」という、中世から続く、一段階細かいゲルマン人の中での「分類」でお互いを呼んでいるのです。それが、**様々な抗争を繰り広げてきた両国の長い「いがみ合い」の歴史の一端を表している**ように思います。

北欧と東欧、それぞれの呼び名

ノルウェーやデンマーク、そしてスウェーデンは、ドイツのことを「テュースクレン」のように表現します。これは、ドイツ語の「ドイッチュラント」に似た語源です。「サクサ」というフィンランド語は、ドイツ北部に位置する「サクソン人」からきています。また、東ヨーロッパの国々はドイツを「ニェメツィ」などといいます。これは、「話せない人々」という意味が由来の言葉です。これは、彼らの話すスラヴ系の言語と、ドイツの人々が話すゲルマン系の言語の系統が離れていることからきています。もう少し離れたロシアでは、ドイツのことを「ゲルマニア」と呼んでいます。

なぜドイツは様々な呼ばれ方をするのか

これほどまでにドイツが周辺国から様々な言葉で表現される理由には、**ドイツがゲルマン語派とラテン語派、スラヴ語派という3つの境界付近に位置しており、様々な言語で「ドイツ」が表現されたこと**や、ドイツが長らく、「神聖ローマ帝国」といわれる、不統一な諸侯の連合体であり、1871年のドイツ統一まで「ドイツ」という概念自体が薄かったことなどが挙げられます。

多岐にわたる「ドイツ」の表現

ドイツが「ドイツ」と呼ばれない理由

①言語の境界付近に位置する

ゲルマン語派、ラテン語派、スラヴ語派の
それぞれの地域からの呼び名が存在する

②「ドイツ」という概念自体が近代まで薄かった

諸侯の連合体である「神聖ローマ帝国」の時代が長く
19世紀半ばまで「ドイツ」という国名もなかった

Number

06

近世

本当は大失敗だった!?「ヴァスコ＝ダ＝ガマの航海」の知られざる真相

世界史用語
大交易時代　ヴァスコ＝ダ＝ガマ　コロンブス　マゼラン

地理用語
マゼラン海峡　季節風（モンスーン）

いずれも過酷な大航海時代の航海

高校の世界史では、大航海時代の航海者たちが世界の一体化を進め、「**大交易時代**」に拍車をかけたことを学習します。

特に、**ヴァスコ＝ダ＝ガマ**はアフリカ回りでインドに到達したことで、「成功者」の一員として、**コロンブス**や**マゼラン**とともに紹介されることが多い人物です。

当時の航海はいずれも過酷でした。私の手元にある資料集にも、コロンブスは出発時に3隻の船に90名が乗って出発したものの、到着時には船1隻、乗組員は40名に減っていたとあります。ヴァスコ＝ダ＝ガマは出発時に4隻170名、到着時には2隻55名でした。マゼランは出発時5隻265名、帰国時1隻18名です。このように、かなりの人数が出発地に戻ることができなかったことがわかります。

ゴール地点を知っていたヴァスコ＝ダ＝ガマの航海

コロンブスとマゼラン、そしてヴァスコ＝ダ＝ガマの３人は同じように多くの人員を失いました。

しかし、３人の航海には大きな違いがあるのです。

それは、**コロンブスやマゼランは、「未知の海」を進み、ヴァスコ＝ダ＝ガマはいわば、「既知の海」を進んだ**ことです。

コロンブスは当時、「世界の果て」と信じられていた西回りの航路に挑み、怖がる部下をなだめすかしてなんとか「新大陸」付近のサンサルバドル島に到着しました。

また、マゼランは、南アメリカ大陸南端の**マゼラン海峡**を発見し、太平洋を横断してなんとか、現在のグアム周辺にたどり着きました。

一方、ヴァスコ＝ダ＝ガマは、ゴール地点のインドにはすでに「先行調査」の使節を地中海からアラビア方面に派遣し、イスラーム教徒の船で到達させています。

そして、アフリカ東岸からインドまでの長距離航海は水先案内人を雇って案内させました。

いわば、ヴァスコ＝ダ＝ガマの功績はバラバラに存在していた「既知の海」をひとつにつなげて、ポルトガルからインドへの一連の「航路」にしたことにあるのです。

船乗りたちの命を奪った壊血病

過酷な航海で命を失う理由は様々あります。

その中でも、**特徴的なのが「船乗りの病気」といわれる壊血病です**。

壊血病は、ビタミンCの不足によって血管が弱くなる病気です。歯茎や皮膚から出血が起こり、最終的に死に至ります。出航から時間が経つほど、新鮮な野菜や果物を口にできなくなるために、壊血病の発生も多くなります。

そうした観点から、人員の喪失数を見直してみましょう。

まず、コロンブスは3隻90名で出航し、戻ってきたときには1隻40名でした。半分未満になったように見えますが、新大陸に40人近くの船員を残して帰ってきたことや、途中ではぐれた船も（もう一隻は難破していますが）別行動をとって帰国したという記録もあり、死亡者数が多いとはいえません。

次にマゼランは、5隻265名で出発し、帰りは1隻18名です。生還率は極めて低いのですが、1隻が途中で脱走したことや、フィリピンでの戦闘で30名以上戦死（マゼラン自身も命を落としました）したり、船の修理の人員として東南アジアのモルッカ諸島に50人置いていったり、ゴール手前のアフリカ大陸の西にあるヴェルデ岬諸島（現在のカーボ＝ヴェルデ）で13人抑留されたりしています。マゼランの航海で、明確に記録されている栄養失調や壊血病に起因する死亡は40名ほどです。

壊血病が多発したヴァスコ＝ダ＝ガマの航海

では、ヴァスコ＝ダ＝ガマの航海の内容を見てみましょう。

ヴァスコ＝ダ＝ガマの航海は、前述の通りゴール地点を知っていた「既知」の海だったわけです。

しかしながら、その死者のうち、壊血病の割合が特に高いように思います。帰りのインドからアフリカ東岸での航海では30名が壊血病になったといいます。

マゼランと比較すると、マゼランの太平洋横断は南アメリカ南端からグアム島付近まで、直線距離で約1万4０００kmです。この間、3か月と20日かかっています。マゼランの航海に同行したピガフェッタという人物の記録によれば、この航海で、19人が亡くなっています。

一方、ヴァスコ＝ダ＝ガマの航海の距離はというと、インド西岸からアフリカ東岸まで約３５００km程度です。この間、記録上では97日程度だと考えられています。この航海で約30人が亡くなっているのです。

計算してみると、ヴァスコ＝ダ＝ガマの航海の平均速度は、マゼランの3分の1以下という遅さです（ちなみに、行きの行程は、アフリカ東岸からインド西岸まで同じ距離を26日間で到着しています）。

この船足の遅さがヴァスコ＝ダ＝ガマの判断ミスだとして、もう少し早くアフリカ東岸に到達していたら壊血病の発生は抑えられたのではないかと考えることができます。

歴史的な偉人には申し訳ないですが、ヴァスコ＝ダ＝ガマの航海をもう少し掘り下げて検証してみましょう。

季節によって向きを変えるインド洋の風

高校の地理で、**季節風（モンスーン）**を学びます。

陸地と海では、温まり方や冷え方が違います。水はかなり温まりにくく、冷めにくい物質です（言い換えると、水は気温を一定に保つはたらきがあります）。これが、陸上と海上の気温差を生むのです。

夏は、陸のほうが海よりも気温が高く、冬は海のほうが気温が高いのです。空気は温められると上昇し、冷まされると下降します（熱気球が上昇するのは、その原理を使っているからです）。

夏は地面が温められて上昇気流が発生し、気圧が低くなります。逆に、冬は地面が冷やされて下降気流が発生し、気圧が高くなります。

風は気圧が高いほうから低いほうに向かって吹くので、**夏は海から陸へ風が吹き、冬は陸から海に風が吹くのです**。これを季節風といいます。

特に、季節風の影響は世界最大の大陸であるユーラシア大陸で強く表れます。

インド洋では、インドに向かう船は夏に、インドから出る船は冬に出れば、最小限の労力で進むことができるのです。

「逆風」の中で出発したヴァスコ＝ダ＝ガマの帰路

ところが、ヴァスコ＝ダ＝ガマはこのセオリーとは違う動きをします。

カリカットを出航し、ヴァスコ＝ダ＝ガマが帰国したのは8月29日です。

もちろん、アフリカに向かう季節風はまだ吹いていません。ヴァスコ＝ダ＝ガマもそのことをわかっていたのか、ここからインド沿岸を転々として「風待ち」をします。

ところが、アフリカに向かう風がなかなか吹きません。とうとう、しびれを切らしたヴァスコ＝ダ＝ガマがアフリカに向かうことにしたのが、10月5日です（ここから、アフリカ東岸に到達するまでに100日近くかかったということです）。

しかし、まだ風は吹かず、一行は洋上でインドに戻ろうと決議するほど、遅々として進みません。ようやくアフリカに向かう風が吹いたのは、12月27日のことでした。

ヴァスコ＝ダ＝ガマがアフリカ東岸を目にしたのは1月2日のことで、1月9日にはアフリカ東岸の港、マリンディにたどり着きました。

行程の大部分が「風待ち」だった

この行程を見ると、風さえ吹けば、あっさりたどり着けるじゃないかという印象を受けます。行程の大部分が「風待ち」だったとすれば、出発地点のカリカットに12月まで滞在したうえで出航すればよかったのです。

早々に出航したのは、「インドでトラブルに巻き込まれ、早く出航したかったから」「手柄を焦って早く国に戻りたかったから」などという事情もあったようですが、急がずに風を待てば、もう少し壊血病で亡くなる船員も少なくなったはずなのに、と思わずにはいられません。

すでにこの時代には、インド洋を行き交う船はあった（イスラームの交易船も多く往復しており、中国の明王朝の鄭和《ていわ》の艦隊の一部はインド洋を横断しています）ため、**情報収集して動かずに待てば、壊血病の発生も最小限に抑えられ、もう少し容易にアフリカに着いたはずです**。

低炭素時代に復活する帆船への注目

「風をとらえて進む」というのは帆船を使っていた昔の話題のように感じます。

たしかに蒸気船の時代に入ってからは、帆船は使われなくなりましたが、**低炭素時代に突入しつつある現在、帆船への注目が再び高まっているのです**。風もエネルギーのひとつで、風をうまくとらえれば、たしかに船の推進力になりそうです。

そうした帆を取り付けた「現代の帆船」ともいえる船が、繊維強化プラスチック製の伸縮性の帆である「風力推進装置」を備えた船です。

日本の企業と日本の大学が中心となって開発が進められたこの装置を付けた船が、２０２２年から運航を開始しています。この帆を使うと、５～８％の航行燃料の削減が可能になるため、環境負荷の低減と経済性の向上が期待できるといいます。

大航海時代も現在も、海を吹き渡る風の力は同じです。風をうまくとらえるスキルが、時代を超えて、再び近未来の航海者の重要な資質になりつつあるのです。

季節風とヴァスコ=ダ=ガマの航海

季節風の向き

ヴァスコ=ダ=ガマの航海

Number
07
近世

「地形」と「気候」から解き明かす奇跡の逆転劇「オランダ独立戦争」

世界史用語
ハプスブルク家　カール５世　フェリペ２世　ルター　オラニエ公ウィレム

地理用語
北海　バンク　ネーデルラント　酪農　園芸農業

街中いたるところにあるニシンスタンド

オランダを訪れたことがある人は目にしたことがあるかもしれませんが、オランダ人の間では日本人からすると意外な食べ物がファーストフードになっています。

それは、「ニシン」です。

街角には「ニシンスタンド」のような店があり、魚のニシンの酢漬けや塩漬けが売られているのです。小皿に盛られて出てきたり、パンにはさまれて出てきたりします。酢や塩がちょっときつめなのですが、しめサバや塩で締めた魚を食べる習慣がある日本人の口には間違いなくおいしく感じられると思います。

オランダの北には世界有数の好漁場である**北海**の漁場があり、**バンク**と呼ばれる広大な浅瀬が多くのプランクトンをはぐくみ、多くの魚が住んでいます。北海沿岸の地域にとっては、北海の魚は歴史的にも、オランダの主要な交易品でした。
じつは、このニシンのファーストフードの裏には、オランダの歴史や地理にまつわる話が隠されています。

アムステル川のダムだから「アムステル・ダム」

オランダの歴史をひもとくと、オランダは「**ネーデルラント**」と呼ばれる地方でした。ネーデルラントは、「低い土地」という意味です。

現在のオランダの正式名称も「ネーデルラント」といい、国の正式名称として「低地」であることをうたっているのです。かつては大部分が森や沼地の広大な低湿地であり、人が暮らすにはその上に盛り土をして暮らすしかありませんでした。

オランダの首都、アムステルダムはアムステル川沿いの低地に堤（ダム）を築いてつくった街で、現在でもアムステルダムの平均標高はマイナス2ｍで、アムステルダムに近いスキポール空港の標高も海面下です。

要は、「アムステル川のダム」だから、「アムステル・ダム」なのです。

なります。

15世紀からハプスブルク家の支配に入ったオランダ

オランダの地には古代から漁村が点在し、のちにゲルマン人の一派が居住するようになります。

そしてゲルマン人の大移動後、オランダの地はフランク王国の一部になります。

フランク王国が分裂すると、**神聖ローマ帝国の一部になるものの、低地で防衛に適しているとはいえないため、オランダは諸勢力が入り混じる地になりました。**

15世紀後半、そんなオランダに、大きな変化が起こります。それが、ヨーロッパ一の名家といわれる、**ハプスブルク家**の領地になったことです。

特に、神聖ローマ皇帝の**カール5世**や、その子のスペイン王**フェリペ2世**がオランダの支配者になったことが、オランダを独立に立ち上がらせるきっかけになったのです。

プロテスタントに対する弾圧が独立のきっかけ

カール5世やフェリペ2世は高校の世界史の教科書に必ず登場する有名な王たちです。

特に、カール5世は宗教改革で**ルター**を弾圧した人物として知られます。すなわち、ルターの運動から巻き起こったプロテスタントを弾圧したカトリック側の君主なのです。

その子のフェリペ2世も、熱心なカトリック教徒として知られます。

一方で、オランダの人々の間では次第にプロテスタントの信仰が広まっていきました。

プロテスタントの中でも、**お金を貯めることを肯定するカルヴァン派の考えは、商工業者が多かったオランダの人々にとって相性のよい教えだったのです。**

プロテスタントが多かったオランダに対して、カトリックを信仰するカール5世やフェリペ2世が「異端」として弾圧を加え始めると、オランダの人々は独立を求めて反乱に立ち上がるようになります。

そして、圧倒的な大国だったスペインに対し、オランダは80年の歳月をかけて戦い抜き、最終的に独立を手にすることができたのです。

ニシンの味はライデン解放の味だった

このオランダ独立戦争における最大の戦いが、ライデンの攻防戦です。

ライデンはアムステルダムのやや南西に位置する都市で、苦戦続きのオランダ軍にとって、陥落すればオランダ全体が一気に危うくなるほど戦略的に重要な都市でした。

スペインは大軍をさしむけ、ライデンを包囲します。

スペイン軍の包囲戦は長期にわたり、ライデンの市民は次第に飢え始めてしまいます。

ここで、オランダ独立の英雄、**オラニエ公ウィレム**が、ある作戦を提案します。それは、ライデンの南にある堤防を決壊させ、海水でスペイン軍を「水攻め」にすることでした。海面下にあるライデン周辺は、堤防さえ決壊させれば、水に浸かってしまいます。オラニエ公ウィレムはスペイン軍を水攻めにして分断し、そのすきにライデン市に物資を運んで市民を救出しようとしたのです。

ところが、実際に堤防を決壊させてみたものの、なかなかうまくいきませんでした。水はじわじわと広がるものの「水攻め」というにはほど遠い状況になってしまったからです。かえってライデン市民はますます飢えることになってしまいます。疫病まで流行り始め、陥落は目前に迫ってしまいました。

ここで、オランダ側に奇跡的な「神風」が吹きます。なんと強い偏西風が吹き、海面の水がオランダ沿岸に押し寄せたのです。この風によって一気に海水がライデンの周囲にまで押し寄せることになり、大混乱に陥ったスペイン軍は撤退したといいます。

そしてスペイン軍から解放されたライデンに、ようやく食料が届きました。それが、ニシンだったのです。ライデン市民は、オランダ名産の酒であるジンと一緒にニシンを食べ、解放を祝ったといいます。以後、10月3日はライデンの解放記念日として、ライデンではニシンを食べる日になっています。オランダで食べるニシンの味は、ライデン解放とオランダ独立の味なのです。

オランダは「オランダ人がつくった」

このエピソードは、オランダの低地ぶりをよく示しています。

オランダは、国が低地であるために、つねに干拓によって国土をつくり出してきました。「世界は神がつくったが、オランダはオランダ人がつくった」ということわざの通り、13世紀から現在まで続く干拓によって、3分の1が干拓地といわれるぐらいに国土を広げてきたのです。

オランダ独特の景観として知られる風車も、干拓地をつくるため、堤防の中の水をかき出す装置です。干拓地の完成後も、海面下の土地ではつねに水をかき出しておかないと、水がたまってしまいます。そのために風車がつくられたというわけです（現在、風車は観光用になっており、電動ポンプで排水しています）。もちろん、干拓地はもともと海底で、農業に最適な肥沃な土壌ではありません。そこで、**酪農**や、花や野菜などの**園芸農業**など**収益性の高い農業に特化することで、ブラジルやフランスなどよりも高い、世界第2位（2022年）の農業輸出額を誇る国になっているのです**。

オランダと干拓地

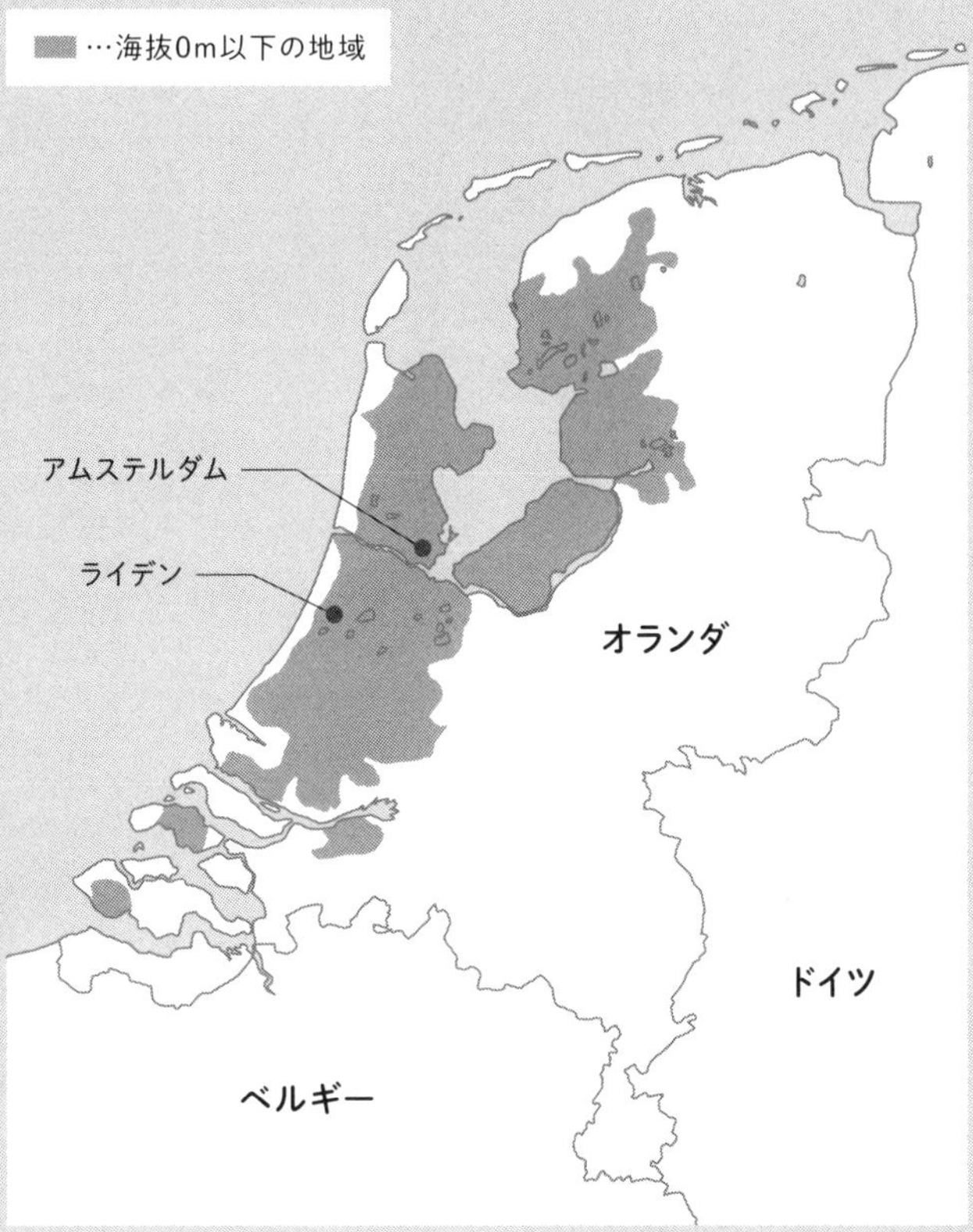
…海抜0m以下の地域
アムステルダム
ライデン
オランダ
ドイツ
ベルギー

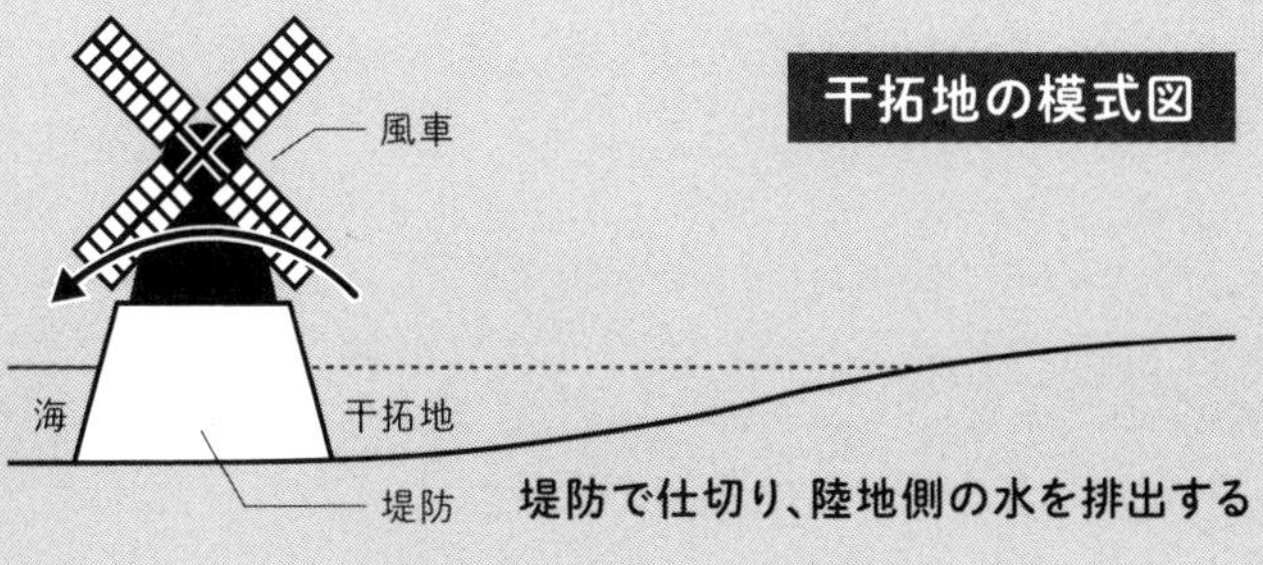
干拓地の模式図
風車
海
干拓地
堤防
堤防で仕切り、陸地側の水を排出する

Number

08

近世

目まぐるしく変わる世界の国境はどうやって決まってきたのか？

世界史用語

封建社会　主権国家　ルイ14世　自然国境説　アフリカ分割

地理用語

主権　国民　自然的国境　人為的国境

かつては曖昧だった国境

世界には、数多くの国境があります。

これらの国境は、様々な変遷を経て現在の姿になっています。

中世ヨーロッパの時代の社会は「**封建社会**」と呼ばれます。これは、王と各地の領主、その家臣というような主従関係の集合体からなる社会のあり方です。主君は家臣に土地を与え、家臣は主君の要求に応じて戦いに参加するという軍役を果たします。

この主従関係は、主君と家臣の合意によって成り立つ「契約関係」であり、契約さえ結べば、複数の主君に仕えたり、家臣から主君との契約関係を解消したりすることもできます。

したがって、中世ヨーロッパの時代の「国境」は、明確な線で引かれる現在の国境とは違い、**「このあたりまではおおむね、この王とその家臣の契約関係が及ぶエリア」というイメージで、かなり曖昧だったのです。**

イギリスの国王が、長らくフランス王の家臣でありながらフランスとの抗争を続けていたことからもわかる通り、国境という概念が現在とはまったく異なっていたのです。

国境が明確なものになった「主権国家」

中世後半になると、フランスやイギリス、スペインといった「大国」が登場し、百年戦争などの激しい戦争が行われるようになります。

そのため、王がリーダーシップを発揮して、国全体をあげて勝利のために戦う必要が出てきます。

それまでの中世の「封建国家」は「複数の主君に仕えることもできる土地のやりとりによる契約関係の集合体」というしくみだったため、「戦争を起こしてもどれぐらいの数の諸侯や騎士たちが契約を守って戦場にかけつけてくれるかわからない」という問題を王たちが抱えることになってしまっていたのです。

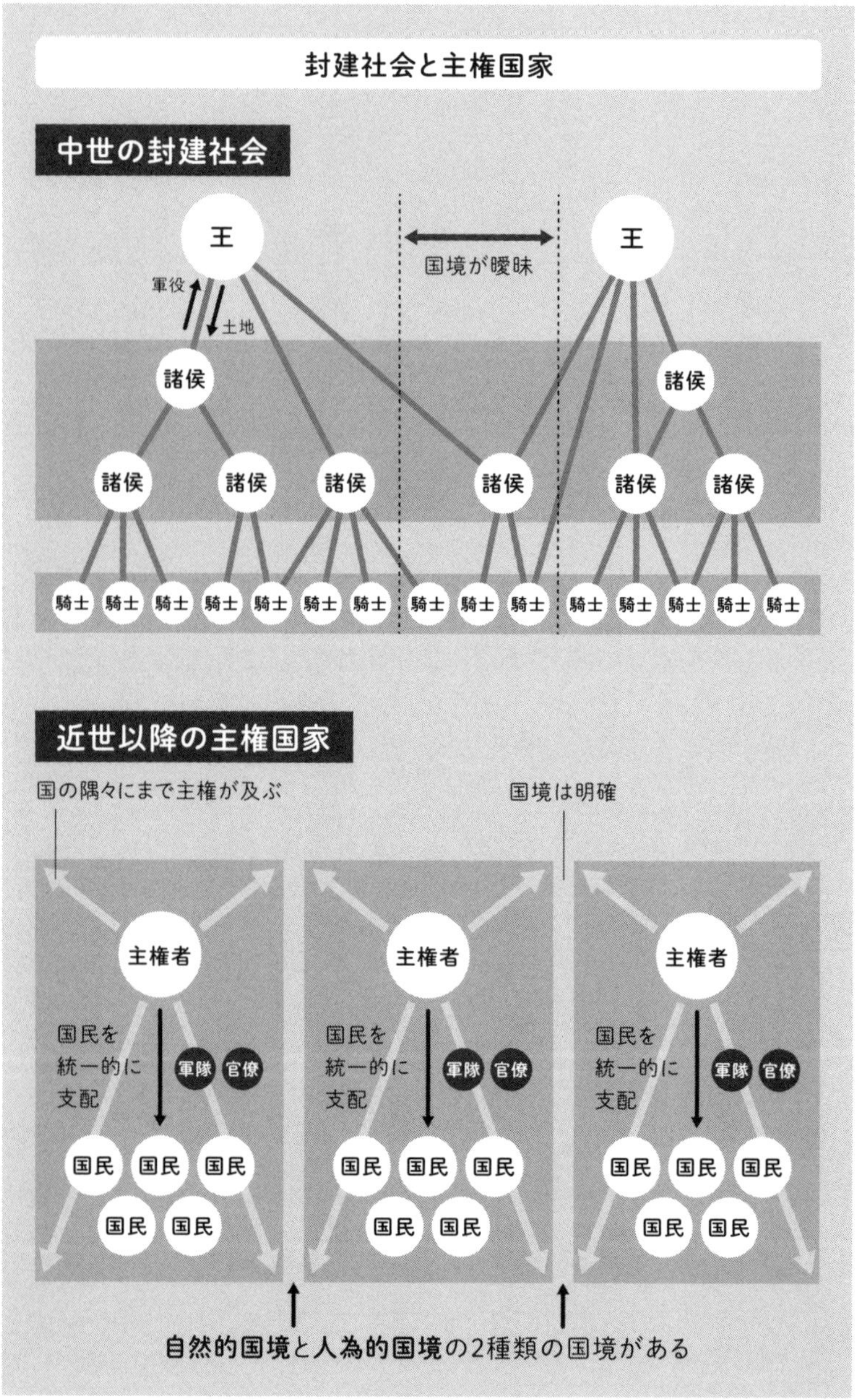

封建社会と主権国家

中世の封建社会

王

軍役　土地

諸侯

諸侯　諸侯　諸侯

騎士 騎士 騎士 騎士 騎士 騎士 騎士

国境が曖昧

王

諸侯

諸侯　諸侯　諸侯

騎士 騎士 騎士 騎士 騎士 騎士 騎士 騎士

近世以降の主権国家

国の隅々にまで主権が及ぶ

国境は明確

主権者

国民を統一的に支配　軍隊 官僚

国民 国民 国民
国民 国民

主権者

国民を統一的に支配　軍隊 官僚

国民 国民 国民
国民 国民

主権者

国民を統一的に支配　軍隊 官僚

国民 国民 国民
国民 国民

自然的国境と**人為的国境**の2種類の国境がある

そこで、15世紀から16世紀にかけて、次第に「**主権国家**」というスタイルの国が形成されました。

この**主権国家は、国家のリーダーシップをとる「主権者」の決定に、その国家に暮らす国民全員が従うという形の国家です。主権の及ぶ範囲がすなわち「国境」であり、その国境は他の国の主権と重複しない、明確なものとなります。**主権国家は、「主権者」が国の戦力を総動員でき、命令を国の隅々まで行き渡らせられるため、より大規模な戦争に向いた国のあり方といえます。王が主権者として絶対的権力をふるうタイプの主権国家を「絶対王政」、国民が主権者として選挙や会議を行い、その決定に国民全員が従う主権国家を「国民主権」の国家といいます。

自然と人工の2つの国境

主権国家における国境には、2つの種類があります。

ひとつが「**自然的国境**」、もうひとつが「**人為的国境**」です。

自然的国境とは、山脈や河川、湖など地形をもとに設定された国境です。タイとラオスの国境になっているメコン川や、チリとアルゼンチンの国境になっているアンデス山脈など、現在の国境のかなりの部分が自然的国境で、数えるときりがありません。

ヨーロッパにも、ノルウェーとスウェーデンの国境であるスカンディナヴィア山脈や、ルーマニアとブルガリアの国境であるドナウ川など、たくさんの国境が存在しています。かつて、この自然的国境を領土拡張の口実として利用しようとした国王が、「太陽王」と呼ばれる、17世紀のフランス国王**ルイ14世**です。

ルイ14世が唱えたという「**自然国境説**」は、その土地に住んでいる民族にかかわらず、天然の地形を国境とすべき、という説です。

たしかに自然的国境は数多くありますが、民族や文化の境界が国境になっている例もあり、そうした場合には自然の境界からはみ出たり、平地の中に国境線があったりします。**ルイ14世はそうした民族や文化の境界よりも、自然の境界線を重視して国境が引かれるべきだと主張したのです**。

もちろん、この説は「戦争によってフランスの領土を広げたい」というルイ14世の支配欲からきています。ルイ14世は、東はアルプス山脈、西は大西洋、南はピレネー山脈と地中海、北はライン川という領域を「フランスの領域」とみなし、盛んに戦争をしかけます。特に、ルイ14世が北方の境界としたライン川まで到達するためには、現在のベルギーにあたるハプスブルク家の領土や、オランダの南部を奪い取らなければなりません。そのため、ルイ14世は戦争を何度もしかけたのです。しかし、ルイ14世は「戦争好きの戦争下手」なところがあり、緒戦は勝っていても「引き際」がわからず、戦況が悪化し、最終的に不利な和平を行うことが数多くありました。

その結果、一度はライン川付近までの領土を獲得しながらも、最終的に現在のフランスとベルギーの国境あたりに落ち着くことになったのです。

植民地支配の名残が残る人為的国境

一方、「人為的国境」のほうは、土地の所有権の境界や、緯度や経度をもとに設定された国境で、直線的に設定される場合が多くあります。代表的な例としてはアメリカ合衆国とカナダの間の長大な人為的国境や、パプアニューギニアとインドネシアの国境などです。

こうした人為的国境が集中している大陸が、アフリカです。アフリカは、19世紀後半から20世紀初頭にかけ、ヨーロッパ諸国による植民地支配を受けました。「**アフリカ分割**」と呼ばれる植民地争奪戦の結果、**アフリカにはヨーロッパ諸国それぞれが設定した勢力圏を示す直線的な境界が引かれ、それが現在のアフリカ諸国の国境となっています。**

これらの境界は、アフリカに居住する千を超える民族の境界とは一致せずに引かれているため、民族の分断を招き、民族問題が発生する原因になっています。

ルイ14世の自然国境説とアフリカの人為的国境

ルイ14世の自然国境説

アフリカの人為的国境

Number

09

近世

すべては「地形」のせい!?ポーランドの〝苦難続き〟の歴史

世界史用語

ポーランド分割　ウィーン会議

地理用語

ポーランド　安定陸塊　大陸氷河

「平らな土地」という名を持つ国

オランダと負けず劣らず低平な地域として知られるのが、**ポーランド**です。ポーランドという国の語源は「平らな土地」という意味で、南部の山地を除けば、大部分を平地が占めています。もともと、ヨーロッパは半分以上の面積が海抜200m以下の低地ですが、その中でもとりわけポーランドは平らな国土の国なのです。

ドイツ北部からポーランドにかけて広がる北ヨーロッパ平野は、地殻変動のほとんどない「**安定陸塊**」です。しかも、氷河期には**大陸氷河**が覆い被さっていました。地殻変動が少ないことと、氷河の侵食を受けたことにより低平な平野が形成されたのです。

防衛に不向きなポーランドの地形

こうした地形的な条件が、ポーランドの歴史をつくったともいえます。

歴史上、ポーランドは、しばしば分割されたり、他の民族に支配されたりしてきました。１７７２年から１７９５年にかけ、プロイセン、オーストリア、ロシアの３国に国土の譲渡を強要され、地図上からポーランドが姿を消した「**ポーランド分割**」や、ナポレオン戦争後の**ウィーン会議**においてロシアがポーランドの王を兼任することになり、実質的なロシア領になったこと、第二次大戦直前には早々にドイツとソ連に分割されてしまったことなど、悲劇の歴史をたどっています。

こうした悲劇は、**低平なポーランドの地が防衛に不向きで、他国の侵略を受けやすいことと無縁ではないでしょう。**

ポーランドを悩ませ続けた東側の国境

特に、ポーランドの頭痛の種になっていたのが、ロシア（ソ連）との関係です。ポーランド分割やウィーン会議後のロシアの支配、第二次世界大戦直前の侵攻、冷戦期の社会主義化など、ロシアやソ連から強い影響を受けてきたのです。

ポーランドの地形をよく見ると、西側（ドイツ側）はオーデル川が自然の防壁として存在しています。

ところが、**東側には山脈や大きな川など、障壁にあたるものがありません**。モスクワからワルシャワまで、目立った自然の障壁がひとつもないのです。

ポーランドはロシアと平野でひとつながりになってしまっているため、ロシアの強い影響を受けてしまうのもうなずける話です。

ポーランド政府がつくろうとしている「壁」

現在に視点を戻すと、ポーランド政府はベラルーシとの境界である**東側国境に高さ５・５ｍ、完成すると１８６㎞にも及ぶ「壁」を築きつつあります。確固たる防壁がない東側に、人為的な防壁をつくろうとしているのです**。壁の規模から、東部の国境をいかに守ろうとしているか、ポーランド政府の本気度がうかがえます。

じつは、ベラルーシを経由し、この国境を越えてポーランド内に入ろうとする中東出身の移民希望者が後を絶たず、ポーランド側も防壁をつくらざるを得なくなっているという事情もあります。

ポーランドの東西国境

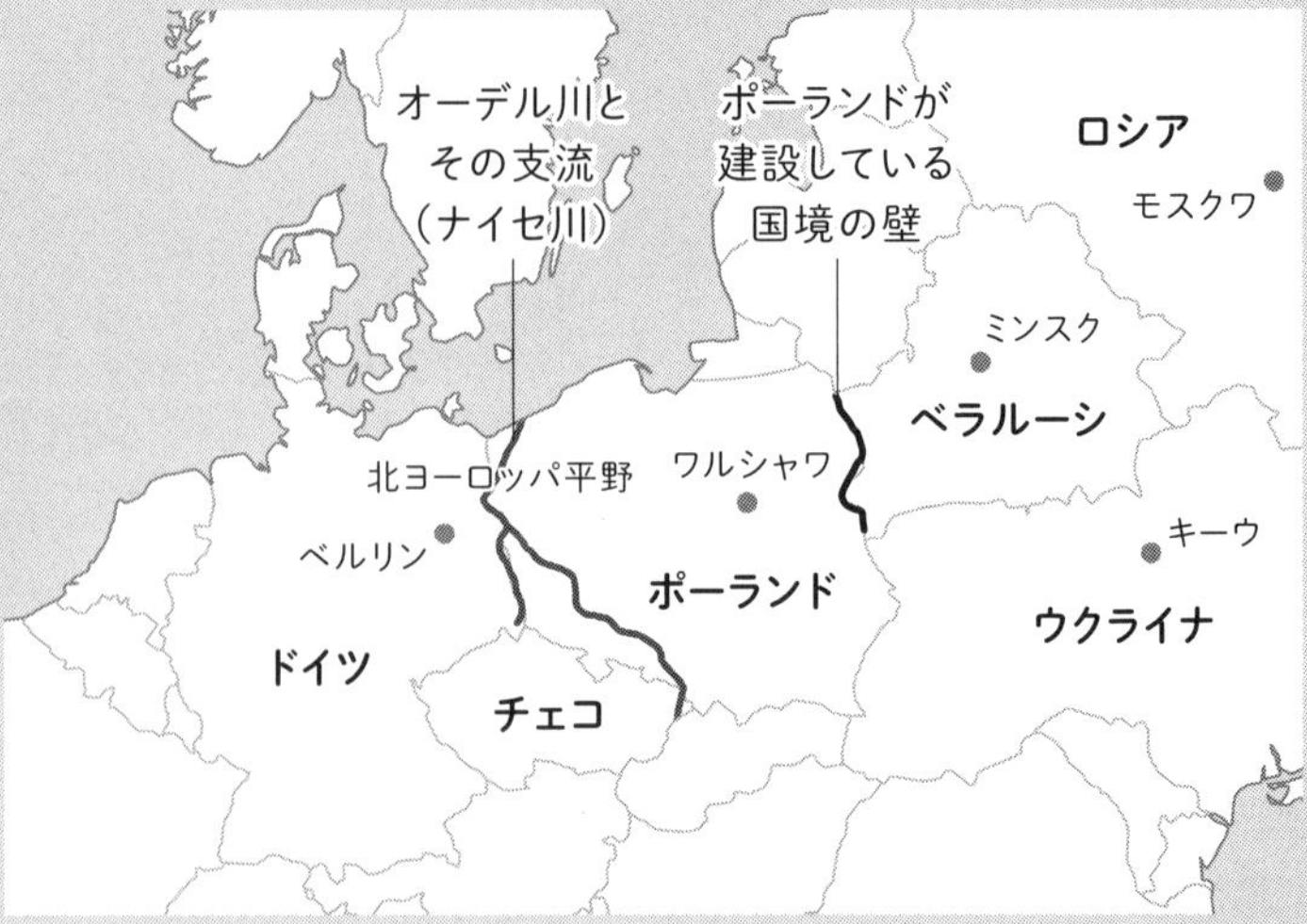

国境がNATOの最東端

ポーランド東側国境の緊張は、２０２２年に始まったロシアのウクライナ侵攻が始まるとさらに高まりました。ベラルーシはロシアと親密なため、ポーランドの東側国境はＥＵやＮＡＴＯにおけるロシア側の最前線を意味します。

ウクライナ侵攻後、ベラルーシがポーランドの国境付近で軍事演習を行うと、ポーランドも国境の軍を増員してけん制するという方針を示しており、国際的な注目が集まっています。

Number
10
近世

ペストに三十年戦争、14世紀と17世紀に疫病や戦乱が多発したワケ

世界史用語
14世紀の危機　17世紀の危機　百年戦争　朱元璋　紅巾の乱　ペスト　三十年戦争　ピューリタン革命

地理用語
気候変動　持続可能な開発目標（SDGs）　地球温暖化

歴史上の危機をもたらした地球の寒冷化

2015年に国連総会で採択された「**持続可能な開発目標（SDGs）**」は、採択から8年以上が経ち、人々の間にその存在が定着したといえるでしょう。

その13番目に掲げられているのが、「気候変動に具体的な対策を」という項目です。

一般的に、「**気候変動**」といえば、「**地球温暖化**」を思い浮かべる人が多いでしょう。

たしかに、海面の上昇や干ばつ、生態系の変化など、地球温暖化に伴う悪影響を考えると、化石燃料の削減など、具体的な対策が求められているのも理解できます。

しかしながら、歴史的な「気候変動」を考えた場合、**温暖化よりも「寒冷化」のほうが歴史に与える影響は大きかったかもしれません。**

温暖化も干ばつや生態系の変化という影響を与えますが、寒冷化も疫病の増加や農作物の生育不全を招き、そこに起因する戦乱を増加させるという影響を与えてきました。

じつは、地球温暖化の危機が叫ばれる以前の１９８０年代ぐらいまで、地球の寒冷化を懸念する論は一定の支持を得ていたのです。

歴史上、「〇世紀の危機」と呼ばれた時代が2回あります。

それが、「**14世紀の危機**」と「**17世紀の危機**」です。

この2回の危機の原因のひとつが、地球の寒冷化にあったとされます。

おおむね、14世紀から19世紀は、「小氷期」と呼ばれる比較的寒冷な時代でした。

その中でも、「小氷期の入り際」である14世紀と、小氷期の中でも、気温の低い時期が続いた17世紀に「危機」と呼ばれる状況が訪れたのです（2つの時代の危機をもたらした寒冷化の原因は、いずれも太陽の活動の低下といわれています）。

ペストが広がった「14世紀の危機」

14世紀の危機とは、比較的温暖だった中世の時代から「小氷期」に移行した時代です。

この時期に戦乱や疫病が頻発し、フランスとイギリスの**百年戦争**の長期化やモンゴル帝国の解体など、大きな戦乱や国家の衰退が多発しました。

14世紀に明王朝を成立させた**朱元璋**は貧しい農民の出身で、両親と兄を亡くして17歳で寺に預けられましたといわれています。朱元璋の両親は、餓死したといわれています。元王朝を滅ぼし、朱元璋が世に出るきっかけになった**紅巾の乱**は、頻発する飢饉に対しての民衆の困窮に端を発したものです。

特に、この時代の「寒冷化」によって生じた大きな出来事が「黒死病」と呼ばれた**ペスト**の流行です。

ペスト菌は「好冷性」の細菌といわれ、気温がやや低めの時期に感染が広がります。ヨーロッパで大流行したペストは、1331年に中国の雲南地方で最初に広がり、それがモンゴル帝国のネットワークによって、1347年にはクリミアに広がっています。モンゴル帝国の交易ネットワークは各地に張り巡らされ、人の往来が盛んだったため、ペストの広がりがモンゴル帝国の各政権の弱体化を加速させました。

そして、ついにヨーロッパにやってきたペストは、1348年にイタリア半島からフランスへ、その翌年にはイングランドへ、さらに次の年には神聖ローマ帝国へと瞬く間に伝播したのです。西ヨーロッパの人口の3分の1が亡くなったという、歴史的なパンデミック（爆発的感染）になりました。

ペストは社会構造の変化を呼び、封建制の崩壊や、のちの宗教改革にもつながる中世の人々の人生観の変化を生みました。

経済的な変動を生んだ「17世紀の危機」

17世紀の気温の低下も、世界史に大きな影響をもたらしたといいます。この寒冷化により、ロンドンのテムズ川も凍りついたといわれています。

寒冷化による不作に加え、この時代にも起きたペストの流行によって社会不安が高まり、**三十年戦争**やスペインのカタルーニャの反乱、イギリスにおける**ピューリタン革命**など、戦争や反乱が頻発しました。ドイツの三十年戦争では、ドイツの人口の3分の1が失われたといわれます。

しかも、この危機には経済的な問題も加わっていました。

それが、新大陸からの銀の流入の減少です。

16世紀までは、いわゆる「大航海時代」に続く時代で、メキシコやペルーの銀がヨーロッパに運ばれ、銀貨となってヨーロッパに流通していました。通貨量が一挙に増加したため、物価が2～3倍になる急激なインフレーションが発生していたのです。

ところが、17世紀に入ると次第に銀鉱山も枯渇し、ヨーロッパに入ってくる銀の量が減少し始めます。そのタイミングで寒冷化が起きたため、農村では不作のうえに、農作物を売ってもお金にならないという状況に追い込まれます。

つまり、**不作と困窮が一度に農村に襲いかかってきたため、社会不安が一挙に拡大してしまったのです。**

「危機」の中で繁栄したオランダ

ただ、じつはこうした「17世紀の危機」の中で、繁栄を迎えた国もありました。

それが、オランダです。

17世紀前半は「オランダの世紀」ともいわれ、独立したばかりのオランダが躍進した時代でもありました。

寒冷化によって大きな打撃を受けるのは、穀物生産を中心とする農業中心の国家です。

オランダは商工業に軸足を置いた国家のため、農業国を尻目に商工業で躍進し、アジア貿易で繁栄を迎えました。

その後、イギリスへと覇権が移りますが、こちらも商工業を中心とする国家です。

つまり、**気候変動に強い国が17世紀の寒冷化を耐え抜き、覇権を確立した**ということになるのです。

「14世紀の危機」と「17世紀の危機」

地球の平均気温の変化

※IPCC第6次評価報告書をもとに作成

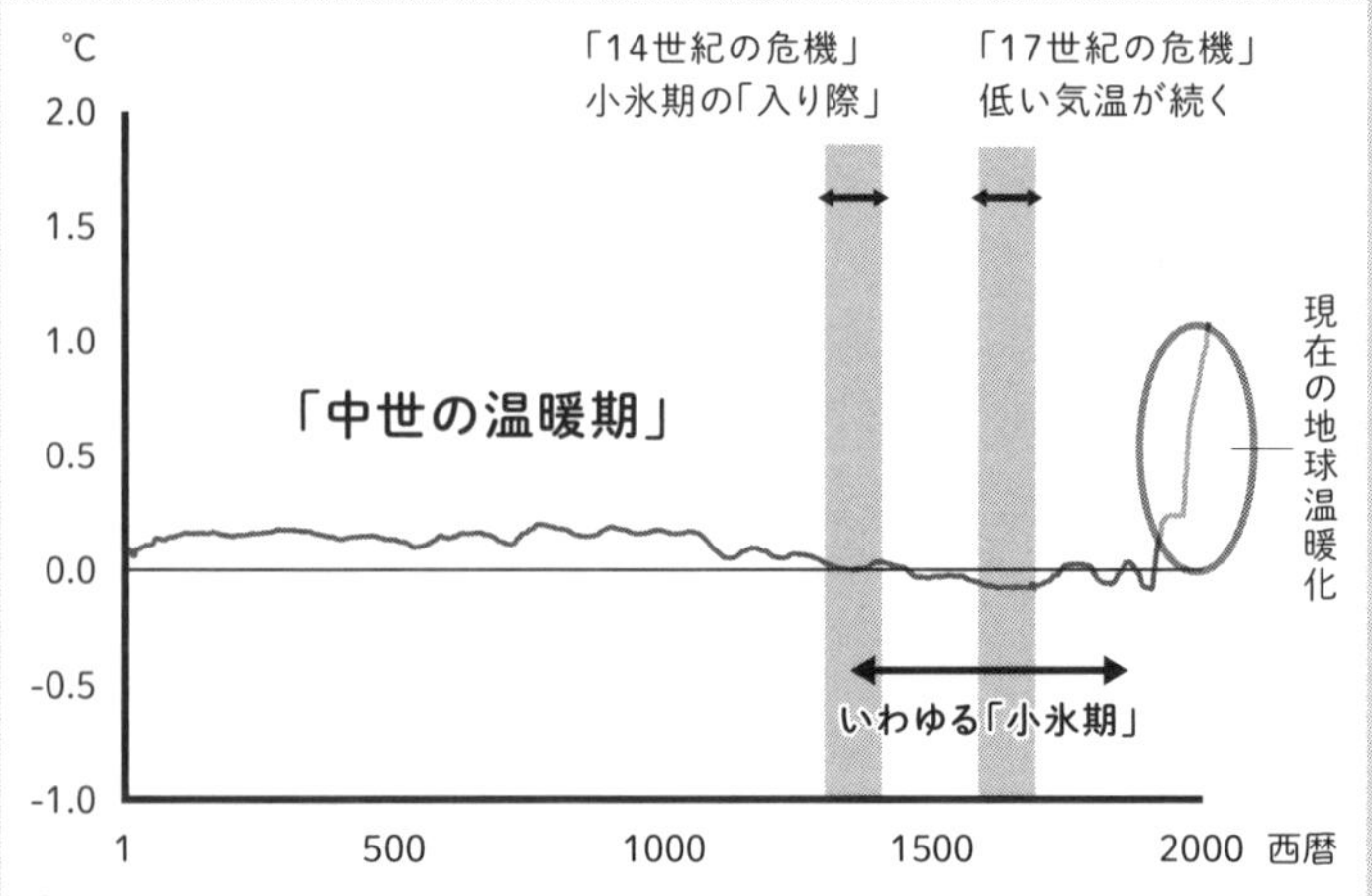

14世紀のペストの流行

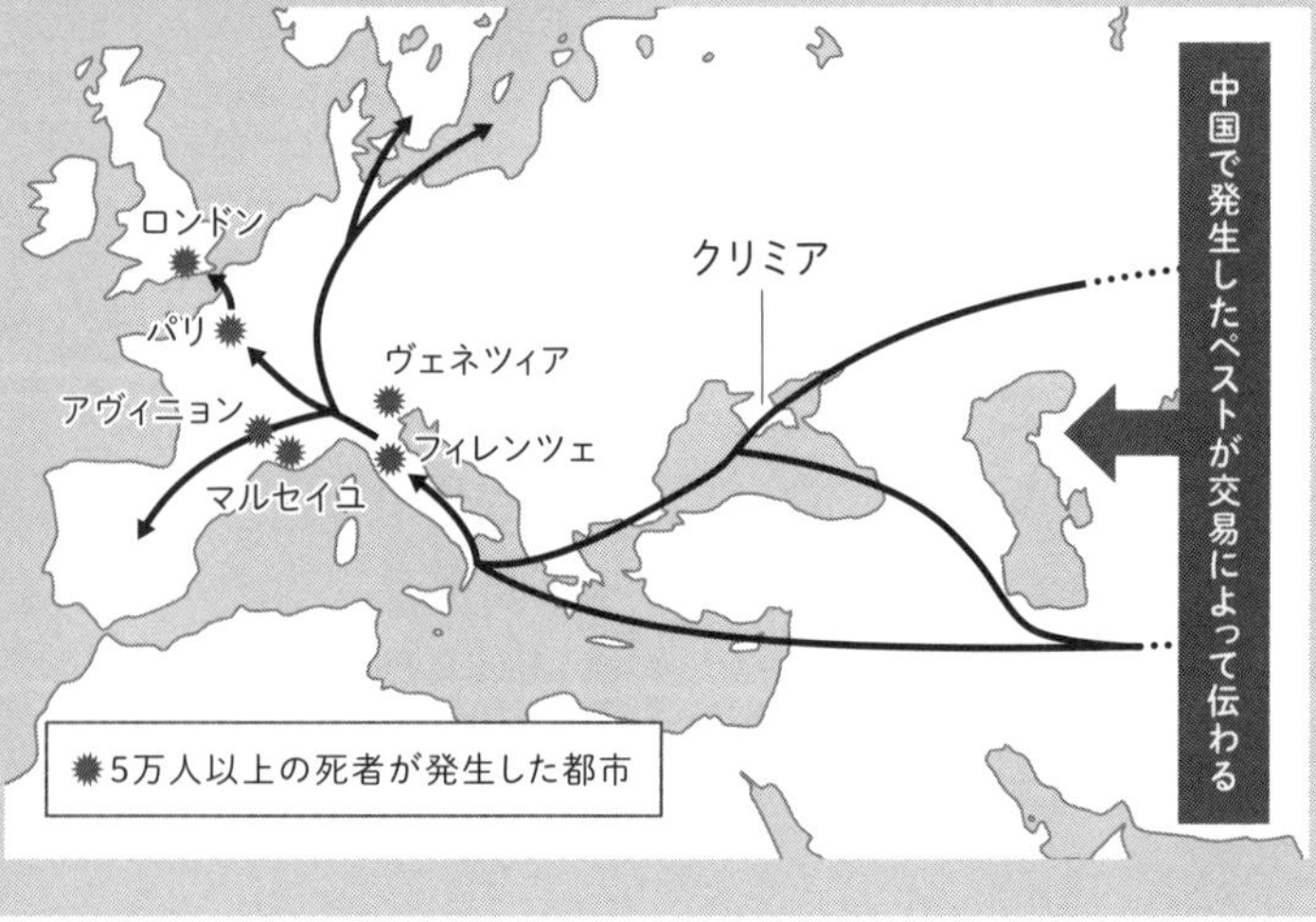

Number

11

近現代

人や物を基準にした単位は「フランス革命」で「メートル法」に取って代わられた

世界史用語

フランス革命　国民議会

地理用語

地球の大きさ　メートル法

地球１周の長さがぴったり４万㎞の理由

「地球１周の長さは約４万㎞」

地球の大きさについて、このように高校の地理では習います。

車の走行距離について、４万㎞を「地球１周」というように例えることがあります。

でも、「地球１周で４万㎞」なんて、自然界の数字としては、ずいぶんと区切りがよいと思わないでしょうか？

じつは、**「地球の周囲は４万㎞」という定義を先に決め、地球の周囲の長さを測った後に４０００万分の１の長さをとったのが、１ｍなのです**（実際には、地球の周囲の４分の１の長さの１０００万分の１と決めたのです）。

これは、水の沸点と融点が、偶然100℃と0℃になっているのではなく、沸点が100℃、融点が0℃と先に決めたうえで100分割して1℃を決めたことと同じようなものです。

人間生活を基準としていたそれまでの単位

現在、日本では**メートル法**が当たり前のように使われています。

しかし、よく考えれば1mという単位は中途半端な単位のようにも見えます。人の身長を示すにも、1mでは小さすぎ、2mでは大きすぎるのです。

メートル法以前に用いられていたフィートという単位であれば、身長150cmで約5フィート、180cmで約6フィートになります。

多くの人が5フィートと6フィートの間におさまるため、なかなか使い勝手がいいように思います。ちなみに、1フィートは30・48cmで、人の足のつま先からかかとまでの長さをもとにした単位です（と、するとかなり大きな足になってしまいますが）。

また、距離の表記も1マイル＝約1600mで、これを2000で割ると、80cmになります。少し大股ではあるものの、勇ましく歩く古代の軍隊が大股で2000歩で進む距離というイメージで、きりのよい感じの距離になりそうです（古代ローマの長さの単位で、2歩をひとつと数える単位があったようです）。

この他にも、フランスやイギリスなどでは動物や農作物の大きさを基準にした長さの単位も使われていました。人や物など、人間生活を基準にした単位は、「地球」を基準にしたメートル法に比べ、人間生活になじみやすいように感じます。

なぜ、わざわざ使い勝手の悪いメートル法が普及することになったのでしょうか？

メートル法を普及させたフランス革命の理念

じつは、メートル法普及の背景には、フランス革命が大きな役割を果たしています。メートル法は、**フランス革命**の直前頃に考案された単位で、フランス革命の理念が普及の後押しになったのです。

フランス革命の主導権を握った革命派からなる**国民議会**は、メートル法の使用に舵をきり、そのための測量を推進しました。

フランス革命の理念は、自由・平等・博愛です。国民議会は、単位においても人によってまちまちな体の大きさや歩幅でなく、**地球という世界の全員が基準にできるものを使うことが、フランス革命の理念である「平等」を体現できると考えたのです。**

今も残る測量の痕跡

実際の測量が始まったのは、フランス革命の真っただ中でした。フランス最北部のダンケルクから、スペインのバルセロナの1000㎞ほどの距離を測り、そこから子午線の長さを割り出そうとしたのです。

「世界の全員が基準とできるものを基準とする」というメートル法の理念はフランス以外の国々にも受け入れられました。単位の統一の必要性を感じる国も多かったため、メートル法の使用が次第に広がっていったのです。

その後、子午線の長さをもっと本格的に測ろうという取り組みが行われました。それが、ロシアのシュトルーヴェという人物を中心として行われた測量です。このときの測量は、フランス革命中に行われた1000㎞の測量の3倍近い、2800㎞にのぼったといいます。

北極海に近いノルウェーのハンメルフェストから、黒海に近いウクライナのスタラ＝ネクラシウカまで、約2800㎞にのぼる測量点の跡が、「シュトルーヴェの測地弧」として世界遺産に登録されています。

メートル法と測量

メートル法の基準となった地球の大きさ

「地球1周は4万km」と定義してから測量を開始
（実際には4分の1周の1000万分の1を1mとする）

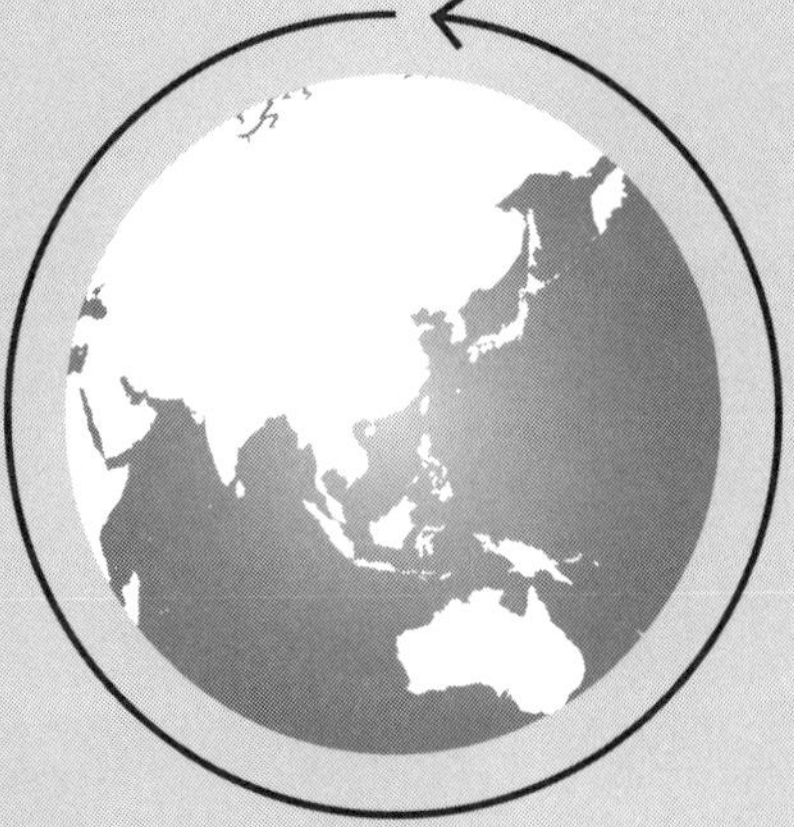

世界遺産「シュトルーヴェの測地弧」

Number

12

近現代

犯人はイギリスだった!?「ダイヤモンド」の値段が〝異常〟に高い理由

世界史用語
セシル=ローズ　ケープ植民地

地理用語
ダイヤモンド　ボツワナ

イギリスの植民地支配と一体化していたダイヤモンド産業

世界一硬く、美しい鉱産資源といえば、**「ダイヤモンド」**でしょう。

ただ、残念ながらダイヤモンドは高価なため、簡単に買うことはできません。

「もっと安くなればいいのに……」と、一度は思ったことがある人も多いでしょう。

そもそも、なぜ、ダイヤモンドは高価なのでしょうか？

希少でなかなか採掘が難しいためという理由ももちろんあるのですが、じつは、歴史的にダイヤモンドの「値段をつり上げてきた」企業が存在するのです。

それが、南アフリカで創設され、イギリスに本社を置くデビアス社です。

デビアス社は、19世紀末から20世紀の前半まで、世界のダイヤモンドの8割から9割のシェアを握っていたといいます。

このデビアス社の創設者こそが、イギリスのケープ植民地首相だった、**セシル＝ローズ**です。

1853年に生まれたセシル＝ローズは、少年時代にイギリスから南アフリカに渡り、17歳のときに鉱山で働くことになりました。

そして鉱山で得た資金をもとに、セシル＝ローズは鉱山を買い取って経営者となり、デビアス社を設立します。

そこから、デビアス社は瞬く間に急成長を遂げ、セシル＝ローズが37歳の時点で南アフリカのほぼすべてのダイヤモンドを支配したといわれます。

その後、セシル＝ローズは**ケープ植民地**の首相になり、イギリスによるアフリカの植民地化を推し進めました。

セシル＝ローズは独占欲と支配欲が極めて強い人物であり、「神は世界地図がイギリス領で塗りつぶされることを望んでいる」「私は夜空に浮かぶ惑星をも併合したい」「地球の表面を1センチといえども多く取らなければならない」などと豪語したといいます。

デビアス社の成長は、イギリスの植民地支配の拡大とともにあったのです。

ダイヤモンドの価格をつり上げてきたデビアス社

セシル＝ローズの死後も、デビアス社の「剛腕」な姿勢は引き継がれました。

世界のダイヤモンドの価格は、このデビアス社のいわば「言い値」で決められており、安く買い叩くことができないようなしくみになっているのです。

デビアス社が抱えるダイヤモンドの販売機構が行う販売会に、「サイトホルダー」といわれる参加権を持つ業者が参加し、ダイヤモンドの買い付けを行います。

このとき、サイトホルダーはデビアス社の提示する値段で、提示される箱に入っているダイヤモンドの原石を全量買い取らなければなりません。

事前に箱の中を確認できず、質の良し悪し、量の多寡にかかわらず、その価格はデビアス社が設定します。

そして、買い取りを拒否すると、サイトホルダーはその資格を失うといいます。

こうして、ダイヤモンドはデビアス社から原石を買い取ったサイトホルダーから世界各地の宝石業者に渡り、宝飾品店に並ぶようになるのです。

ダイヤモンドに入り込みつつある市場経済の力

このようなデビアス社が中心となるダイヤモンドの販売会のしくみは現在も続いています。

しかし、２０００年代に入ってロシア産のダイヤモンドの生産量が増え、デビアス社を経ないダイヤモンドの流通も拡大しています。

２０１９年には、デビアス社が握るダイヤモンドは、世界の約35%まで減少しました。

近年では、アメリカやＥＵがデビアス社を独占禁止法の疑いで訴え、デビアス社の敗訴に終わっています。

デビアス社も、合成ダイヤモンドの新ブランドを立ち上げたり、中国も、宝飾用の合成ダイヤモンドの生産に力を入れ始めたりしています。次第に需要と供給の市場経済の原理がはたらきだし、ダイヤモンドの価格が変化することも考えられます。

高価ゆえに問題も抱えるダイヤモンド

ダイヤモンドの生産量ランキングを見ると、１位がロシア、３位がカナダ、５位がオーストラリアで、その他は13位までアフリカの国々が連なっています。

特に、産出量第2位の**ボツワナ**は、ダイヤモンドがGDPの2割、国の輸出額の9割を占め、経済を潤している「ダイヤモンドの国」です。

ただ、課題がないわけではありません。

ボツワナ政府はダイヤモンドが枯渇すると経済が一気に落ち込むため、ダイヤモンド依存からの脱却を考えています。

また、アフリカの紛争地で発掘されるダイヤモンドは「紛争ダイヤモンド」といわれ、反政府組織など紛争の当事者たちの資金源となり、内戦を長期化、深刻化させる要因になるという問題も発生しています。

セシル＝ローズとアフリカのダイヤモンド産出国

ケープ植民地首相
セシル＝ローズ

デビアス社の創始者

イギリスの
アフリカ植民地化を推進し、
アフリカをまたにかけた
風刺画で知られる

アフリカの主要なダイヤモンド産出国

Number

13

近現代

国際連合に次ぐほど大規模なのに、教科書に載らないナゾの国際機関

世界史用語

脱植民地化　第一次世界大戦　第二次世界大戦

地理用語

国際連合　ヨーロッパ連合(EU)　東南アジア諸国連合(ASEAN)　北大西洋条約機構(NATO)　コモンウェルス

国際連合に次ぐ規模を誇る「イギリス連邦」

高校の地理では、様々な国家の結びつきを学習します。

「国家群」ともいわれる国同士のまとまりには、**国際連合**や**ヨーロッパ連合**（**EU**）、**東南アジア諸国連合**（**ASEAN**）、**北大西洋条約機構**（**NATO**）など、経済的、政治的、そして軍事的な結びつきなど、様々なものがあります。

そうした国家群の中には、教科書で取り上げられないものも多くあります。

その代表的な例が、日本では一般的に「イギリス連邦」と呼ばれる「**コモンウェルス**」です。

「コモンウェルス」の加盟国は、２０２３年７月現在で世界の４分の１以上の56か国に

のぼります。31か国が加盟するNATOや、38か国が加盟するOECDよりも大きな組織です。

加盟国数でいえば国際連合に次ぐ規模であり、世界の国土面積の5分の1、世界の人口の3分の1を占める巨大な組織なのです。

かつてのイギリス植民地からなる国家群

コモンウェルスは、日本では一般的に「イギリス連邦」と呼ばれるように、**イギリス本国と、かつてイギリスが支配していた植民地の国々がおもな構成国**で、インドやオーストラリア、カナダ、南アフリカ共和国などが含まれます。

この組織の代表は、イギリス国王が務めます。現在の代表はイギリス国王のチャールズ3世です。構成国の間で、2年に1回、首脳会議が行われています。

56か国も加入している組織で、定期的に首脳会議も行われているということは、さぞや世界的に強い影響を持っている組織だろうと思うかもしれませんが、「イギリス連邦」については高校の地理の授業でも取り上げませんし、テレビや新聞などのメディアでも目にすることはほとんどないでしょう。

国際的な影響は小さいコモンウェルス

コモンウェルスは構成国のほとんどが「イギリスの植民地だった国」です。参加は任意のため、旧イギリスの植民地ではなくても、申請し、承認されれば加わることができます。首脳会談で決まったことに法的な拘束力はありません。また、4年に一度、「コモンウェルスゲームズ」というスポーツ大会が行われます。

このように見てみると、「イギリスの旧植民地の親睦会」のようなイメージを持っていることがわかります。組織の規模は大きいのですが、国際的な影響力は小さいため、高校の地理やマスコミなどでほとんど取り上げられないということなのです。

コモンウェルス成立の背景となった2つの大戦

なぜ、このような組織が成立したのでしょうか。2つの大戦でいずれも戦勝国になったイギリスは、総力戦といわれた戦争に勝利するために、植民地の物資や人員も動員しました。当然、植民地側も、無償で物資や人員を送り込むことを承知しません。これらの国や地域は、戦争に協力した見返りに自治や独立、発言権の向上を求めます。

その結果、2つの戦争の後に起きたのが、「**脱植民地化**」です。**第一次世界大戦**後には、カナダや南アフリカが独立を獲得し、**第二次世界大戦**後にはアジアやアフリカの多くの国が独立を獲得しました。

イギリスも、これらの国々に自治や独立を認めますが、ここでひと工夫したのが「コモンウェルス」という概念の導入です。**旧植民地との関係を断ってしまうのではなく、独立後も「コモンウェルス」というネットワークの中にとどめておくことを勧めることで関係をつなぎとめ、イギリスの影響力の一端を残そうとしたのです。**

イギリス支配を「全否定」しない旧植民地諸国

歴史の中では、時にイギリスの植民地政策が「悪役」のような見方をされる場合も多くあります。インドなどでは、イギリスに対して激しい抵抗運動が起こりました。

ところが、それらの国がかつてのイギリスの支配を全否定しているかといえば、そうではなく、脱退も自由な「コモンウェルス」に所属し続けているという国が多いのです。

イギリスの旧植民地は、イギリスに支配を受けた歴史を民族における「負の歴史」と考えてはいるものの、英語という共通の言語があることや、法律や教育などのしくみが（その多くはイギリスが持ち込んだものですが）似ているため、旧植民地諸国同士がつながりを持ち続けるメリットには魅力を感じる国が多いのです。

19世紀末から20世紀初頭にかけての「大英帝国」の時代の女王であるヴィクトリアは、イギリスの帝国主義のシンボルのような存在で、女王自身も帝国主義に対して肯定的に振る舞いましたが、一方で「帝国の母」としてのイメージが（多分に「演出」を含みますが）、支配地の反イギリス感情をやわらげることに役立ちました。「イギリスの支配は嫌だが、ヴィクトリア女王には好感を抱く」という人も多かったのです。

コモンウェルスの存在も「イギリスの支配自体は負の歴史であるものの、イギリスや旧植民地とのつながりを持ち続けるというメリットもある」というイギリスの植民地支配の二面性を示しているといえるかもしれません。

EU離脱によりコモンウェルスに回帰するイギリス

１９７０年代からしばらく、イギリスはヨーロッパ共同体に加盟し、そこからＥＵに移行したため、イギリスはコモンウェルスよりもややヨーロッパを重視する外交を行っていました。

しかし、２０２０年にイギリスがＥＵから離脱したことで、再びコモンウェルス各国との外交を重視する姿勢が強まると考えられています（ＥＵ離脱の前、離脱推進派の主張のひとつが、コモンウェルスへの回帰でした）。

コモンウェルス加盟国

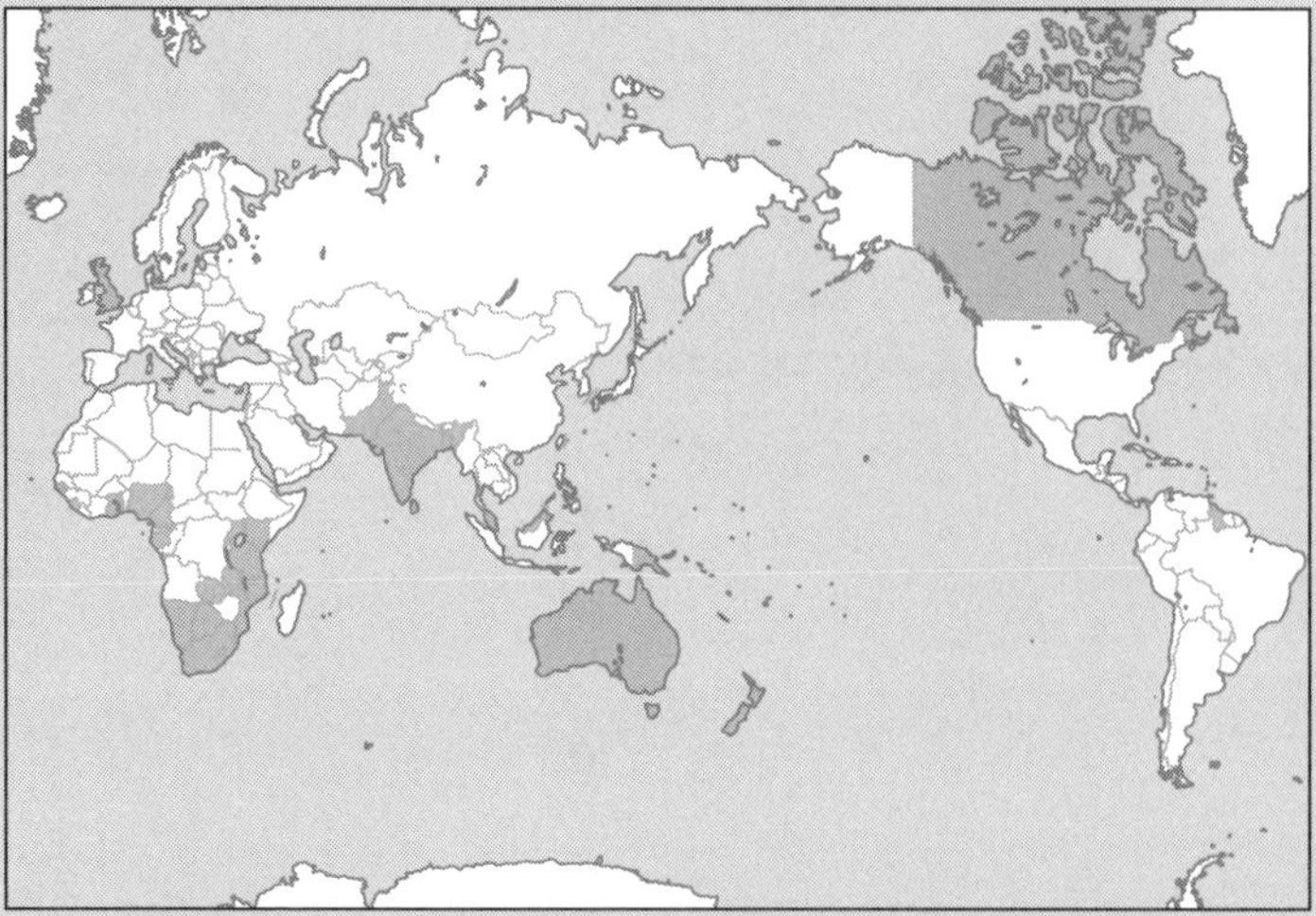

イギリスと旧植民地から構成されるゆるやかな連合体

- 2023年7月現在、56か国が加盟
- 世界の面積の5分の1、世界の人口の3分の1を占める巨大組織
- 決議に拘束力はなく、参加・離脱も可能

コモンウェルスの旗

コモンウェルスゲームズ

4年に1度行われるコモンウェルスのスポーツ大会。スカッシュやローンボウルズなど、イギリス発祥のスポーツも行われることが特徴。

Number

14

近現代

仏独で400年も「アルザス・ロレーヌ地方」を取り合った理由

世界史用語

アルザス・ロレーヌ　ウエストファリア条約　プロイセン=フランス戦争　第一次世界大戦　第二次世界大戦　原料指向型　シュレジエン地方　フリードリヒ2世　マリア=テレジア　オーストリア継承戦争　七年戦争

地理用語

ヨーロッパ石炭鉄鋼共同体(ECSC)　ヨーロッパ共同体(EC)　EU

フランスとドイツの抗争の地となった美しい街

フランス東部の町、コルマールは中世の風情を色濃く残す美しい街並みで知られます。宮崎駿のアニメ映画『ハウルの動く城』のモデルのひとつが、コルマールの町であったこともうなずける美しさです。

コルマールの60㎞ほど北にある、世界遺産の町ストラスブールも美しい大聖堂と中世の街並みで知られる街です。いずれも、フランス東部のアルザス地方にある街です。

このアルザス地方とその隣のロレーヌ地方は、よく「**アルザス・ロレーヌ**」とひとくくりにされ、高校の世界史にもしばしば登場します。

アルザス・ロレーヌ地方はフランスとドイツの国境にある地域で、幾度も戦火に見舞われた歴史を持ちます（この地域をモデルにした『ハウルの動く城』も、戦争が背景のひとつになっています）。

フランスとドイツは、長年のライバル関係にありました。そのため、その国境線は戦争のたびに引き直され、**アルザス・ロレーヌ地方はドイツ圏とフランス圏を行ったり来たりすることになります**。

中世のアルザス地方は、アレマン語系（フランスからドイツを見た場合の「アレマン」です）のアルザス語を話す、ドイツ語圏にありました。フランク帝国が分割されたとき、アルザスは東フランク（ドイツ）の領土になりましたが、西フランク（フランス）も、この地の領有権を主張していました。

近世に入り、１６４８年にアルザスは三十年戦争後の**ウエストファリア条約**で、神聖ローマ帝国からフランスへと譲られました。ロレーヌ地方は中世より神聖ローマ帝国の一部でしたが、13世紀半ばからフランスの実質的支配下にありました。

そして、近代に入ると、アルザス・ロレーヌ地方の状況は目まぐるしく変遷します。**プロイセン＝フランス戦争**によってドイツのものとなり、**第一次世界大戦**にはドイツからフランスへ、そして**第二次世界大戦**が勃発すると、ナチス＝ドイツによりドイツに奪われ、第二次世界大戦後はフランスの領土に戻りました。アルザス地方では、親はドイツ、子はフランス軍に従軍していたという話もけっして珍しくありません。

製鉄に適したアルザス・ロレーヌの地理的特徴

アルザス・ロレーヌ地方がドイツとフランスの抗争の地になった理由は、国境に位置していることの他にもあります。

それが、**「石炭と鉄鉱石の産地が近くに位置している」**ことです。アルザス・ロレーヌ地方には、炭田や鉄鉱石の産地が多く分布しているのです。

鉄は**「原料指向型」**工業の代表です。鉄をつくるための二大素材は、今も昔も鉄鉱石と石炭です。鉄は、原料である鉄鉱石や石炭と、製品としてできあがった鉄を比べると、製品のほうが圧倒的に軽くなります。鉄鉱石は鉄以外の成分を多く含みますし、石炭は燃えて灰になってしまいます。現在の技術でも、1トンの鉄をつくるのに、2トンから3トンの材料が必要になります。昔はもっと効率が悪かったので、より多くの材料が必要になっていました。

ということは、**鉄をつくる材料である鉄鉱石や石炭をわざわざ遠くの製鉄所まで運んで製鉄するよりも、鉄鉱石や石炭の産地近くに製鉄所を置き、できた鉄を運んだほうが、運送のコストは安くなるということです。**

こうした、原料に近い場所に工場が立地する特徴を示す工業を「**原料指向型**」の工業といいます。鉄はセメントと並び、原料指向型工業の代表として知られます。

石炭と鉄鉱石が採れる地をめぐって戦争が起こる

石炭と鉄鉱石が比較的近くで採れる場所が製鉄には最も都合がよいものの、そのような場所はなかなかありません。そのため、戦争で「狙い目」になるのです。

アルザス・ロレーヌはドイツとフランスの間にあり、なおかつ石炭と鉄鉱石が産出される、まさに「狙い目」の場所だったのです。

似たような場所として挙げられるのは、現在のポーランドにある**シュレジエン地方**（現在のシロンスク地方）です。

シュレジエン地方は、近世におけるプロイセンとオーストリアという、ドイツにおけるライバル国の奪い合いの場になりました。シュレジエン地方には、シロンスク炭田と呼ばれる大炭田があり、その周囲に鉄山が集中しています。

この地方をめぐり、プロイセンの国王、**フリードリヒ２世**とオーストリア大公、**マリア＝テレジア**が**オーストリア継承戦争**と**七年戦争**という、ヨーロッパ中を巻き込む大戦争を繰り広げました。

その結果、プロイセンはシュレジエン地方を手に入れ、プロイセンの工業力が高まりました。それが、のちのプロイセンによるドイツ統一の基礎になるのです。

鉄鉱石と石炭の共同管理がEUの出発点となった

ヨーロッパ連合（EU）の出発点にも、鉄鉱石と石炭は大きくかかわっています。鉄鉱石と石炭をめぐるドイツとフランスの争いは、周辺諸国を巻き込む大戦争の火種になっていました。

そこで、第二次世界大戦後、**「フランスとドイツが鉄と石炭を共同管理することが、ヨーロッパの安定には欠かせないのではないか」**という考え方がおこり、その結果として成立したのが**ヨーロッパ石炭鉄鋼共同体（ECSC）**です。この組織が源流となり、**ヨーロッパ共同体（EC）**を経て現在の**EU**に発展したのです。

現在、ドイツとフランスの間には検問所もなく、自由に通行ができる平和な時代になりました。アルザスに居住するフランス人がドイツの工業地帯に通勤する光景も一般的です。フランスとドイツのはざまの要衝という性格から、アルザス地方のストラスブールにはEUの議会が置かれています。

フランス・ドイツが奪い合ったアルザス・ロレーヌ

※国境は現在の国境

フランク王国・神聖ローマ帝国
↓
ウエストファリア条約で**フランスへ**
↓
プロイセン＝フランス戦争で**ドイツへ**
↓
第一次世界大戦後**フランスへ**
↓
ナチス＝ドイツのフランス侵攻で**ドイツへ**
↓
第二次世界大戦後**フランスへ**

フランス・ドイツの間で激しい奪い合いの歴史

鉄鉱石と石炭が近くで採れるヨーロッパの「狙い目」
↓
鉄鉱石と石炭の共同管理がEUの「出発点」となる

Number

15

近現代

ロシア軍の重要拠点・カリーニングラードは、なぜ「飛び地」なのか？

世界史用語

ロシアの南下政策　ポツダム会談

地理用語

冷帯　乾燥帯　カリーニングラード　西岸海洋性気候　温帯　砂州　モレーン　潟湖

ロシアの重要な「不凍港」

言うまでもなく、ロシアは広く、寒い国です。

この国土の広さと寒さが、ロシアの歴史をつくってきました。

世界史の授業では再三、ロシアが世界への出口である「凍らない港（不凍港）」を獲得するために南下政策を繰り広げたことを説明します。現在も、ロシアは大部分が**冷帯**（亜寒帯）か、中央アジア方面の**乾燥帯**に位置しています。黒海周辺は凍りませんが、地中海への出口にあたるボスフォラス海峡やダーダネルス海峡はトルコ共和国の領海です。日本列島にも近いウラジオストクは、厳冬期に凍ることもあり、完全な不凍港とはいえないようです。

こうした、寒い国のロシアにとって重要な不凍港になっているのが、バルト海に面した**カリーニングラード**といわれる地域です。

カリーニングラードは、ポーランドとリトアニアの間に存在するロシアの「飛び地」です。ロシア本土よりもずいぶん西に位置し、しかも海に面しています。ロシアより西のヨーロッパには、ロシアよりも冬の寒さが厳しくない西岸海洋性気候を示す地域が広がっています。

このカリーニングラードも**西岸海洋性気候**、つまり**温帯**に属しています。温帯は、最も寒い月でもマイナス３℃を下回らないので海が凍ることはありません。現在、ロシアのバルチック艦隊の本拠地が置かれ、重要な海軍の拠点になっています。

ロシアの「飛び地」となった理由

なぜ、このような「飛び地」が存在するようになったのでしょうか？

それは、第二次世界大戦の終結に向けて話し合われた**ポツダム会談**により、ドイツ領であった「ケーニヒスベルク」を、ソ連が不凍港として強く要求したため、ソ連領になり、それがソ連の解体後、ロシア領になったのです。

ソ連時代には、ロシアとカリーニングラードの間は、ベラルーシとバルト三国のひとつであるリトアニアによってつながっていました。バルト三国がソ連から離脱し、その後、バルト三国とポーランドが2004年5月にEUに同時加盟すると、**このカリーニングラードはロシアから見ると、EUに「分断された」飛び地のような状態になってしまったのです。**

しかも、ポーランドは1999年に、リトアニアは2004年にNATOにも加盟しているので、政治的にも、軍事的にもカリーニングラードはロシアと分断されている、ということになります。

EUの急所とポーランドにとって「意地悪」な砂州

しかし、裏を返してみると、**この「分断」は、EU側にも当てはまります。**旧ソ連の構成国の中でもロシア寄りの姿勢をとるベラルーシと、カリーニングラードとの間はおよそ96kmしかありません。この地域をロシアが獲得すれば、バルト三国の孤立を招く危険性があるため、「EUの急所」「EUのアキレス腱」と考えられているのです。スヴァウキ・ギャップといわれるこの国境の周辺では、近年、NATO側の軍事演習やロシア・ベラルーシ側の合同軍事演習が行われ、緊張が高まっています。

さらに、カリーニングラード周辺を地形的な面から見てみましょう。地図をよく見てみると、カリーニングラード周辺には長い**砂州**が延びています。

このように長い砂州は世界的に見てもまれであり、リトアニアからカリーニングラードへ延びるクルシュー砂州は世界遺産になっています。

こうした砂州は、かつての氷河の末端にあった**モレーン**という砂の堆積と、バルト海の満ち引きによって発生した沿岸流からなったと考えられています。

この砂州は、ポーランドにとって「意地悪」な砂州です。

ポーランドとカリーニングラードの間に延びるヴィスワ砂州は、ポーランドとカリーニングラード沿岸に巨大な**潟湖**《せきこ》をつくっています。この潟湖における、自然にできた「出口」は、ロシア領側にしかありませんでした。

そのため、この潟湖は実質、ロシアの一大軍事拠点であるカリーニングラードの監視下に置かれ、長年ポーランドの北東沿岸からバルト海に出航する船は、ロシアの許可が必要だったのです。

そうした事情から、ポーランドは多額の投資を行い、ヴィスワ砂州の「出口」をつくる運河を掘っています。２０２２年９月にこの運河は開通し、現在、大型船の航行ができるように継続工事が行われています。

ロシアの飛び地カリーニングラード

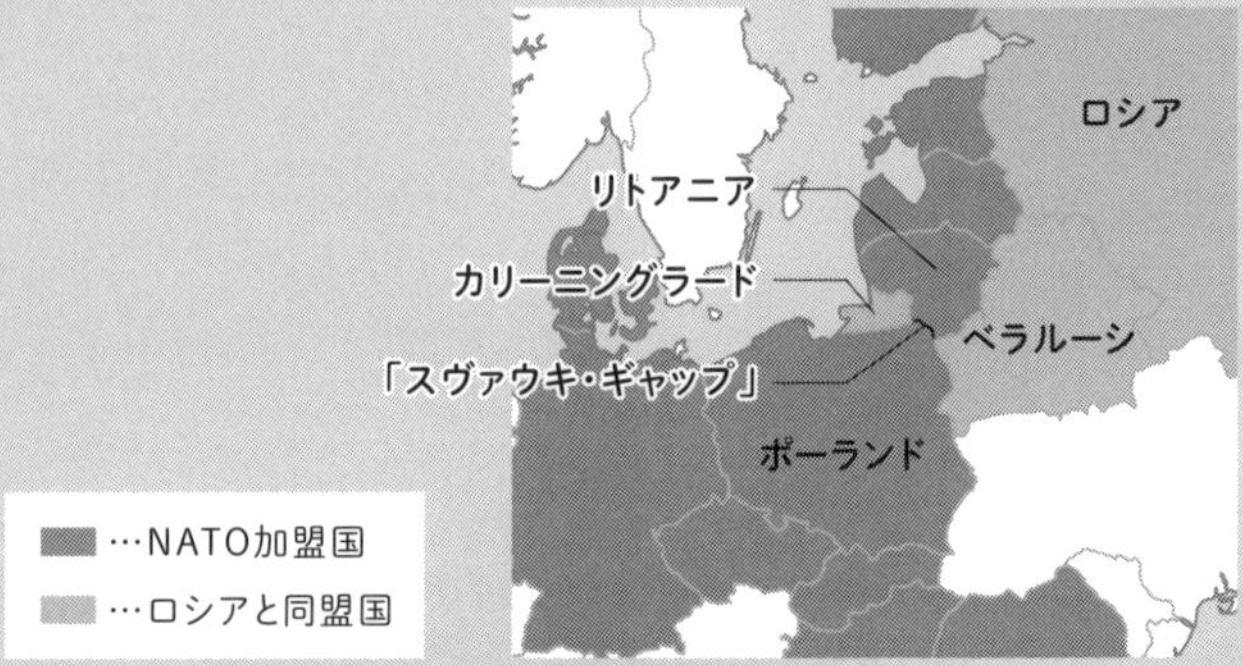

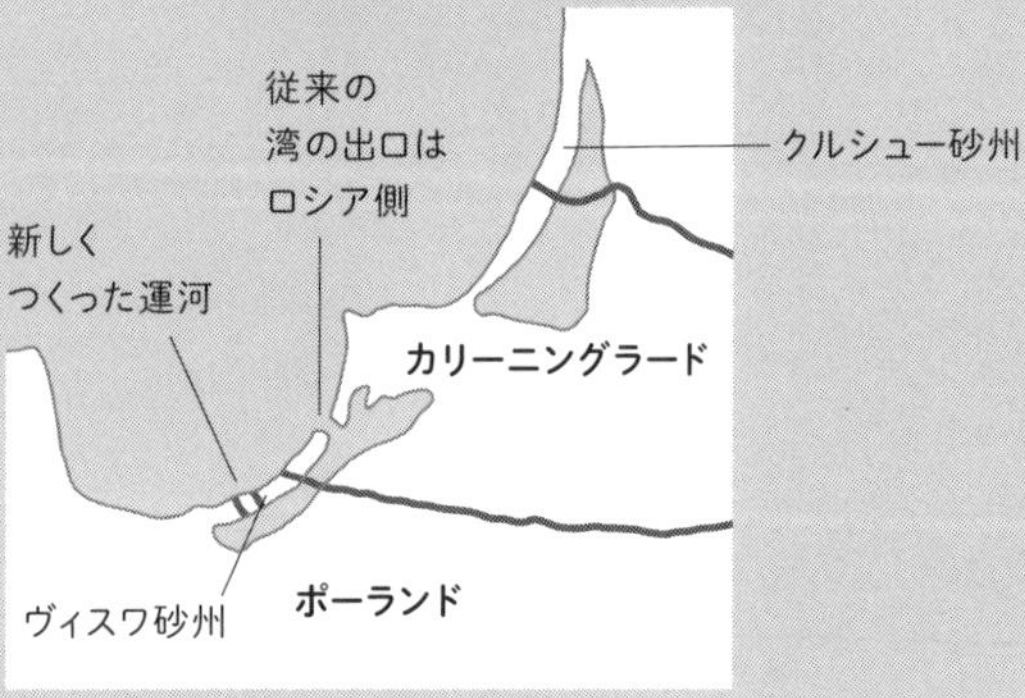

Number

16

近現代

ナポレオンもヒトラーも騙された!?
ただ「寒い」だけではない「ロシアの冬」の正体

世界史用語

ナポレオン戦争　独ソ戦　モンゴル帝国

地理用語

大陸性気候　偏西風

ロシアの歴史を形づくった2つの特徴

ロシアは、「寒い」「広い」という2つの特徴を持つ国です。

この2つの特徴が、まさにロシアという国の歴史を形づくってきたのです。

特に、ロシア（ソ連）にとって存亡の危機に立たされた2つの防衛戦争である**ナポレオン戦争**と、第二次世界大戦における**独ソ戦**は、それぞれ「祖国戦争」「大祖国戦争」と呼ばれ、（多大な犠牲は払ったものの）強大な敵に対して国土を守り抜いたというロシア人の愛国心のよりどころとなる事例になっています。

この2つの戦争において、ロシアは大軍をもって攻めてくる敵に対し、退却しながらも時間稼ぎをしました。そして、広大な国土の内側に引き込んだうえで、厳しい冬の訪れとともに反撃を加えたのです。この戦略により、フランス軍やドイツ軍は凍てつくロシアの奥深くで、進むことも退くこともできない苦戦を強いられることになりました。**こうしたロシアの冬は「冬将軍」といわれ、寒さに慣れたロシア軍の大きな味方とされてきたのです。**

もちろん、ロシアが寒いことは周知の事実です。そのため、当然どの国も夏の間に軍事行動を起こし、暖かいうちにモスクワを攻略しようとしてきました。

それにもかかわらず、なぜか、どの国もことごとく失敗に終わってしまうのです。

このロシアの「冬将軍」について、地理の観点から見てみると、その正体が鮮やかに浮かび上がってきます。

夏の気温は変わらないフランス・ドイツ・ロシア

パリとベルリン、モスクワを比べると、最も暖かい月（7月）の平均気温は、パリが20・4度、ベルリン20・1度、モスクワは19・7度です。

数字を見る限りでは、それほど大差のない印象を受けます。

「ロシアは寒い国」という先入観がある当時のフランス軍やドイツ軍の兵士にとって、夏の行軍は予想以上に気温が暖かいという印象を抱いたことでしょう。

しかし、冬の平均気温（1月）を比べてみると、パリは4・6度、ベルリンは1・2度、そしてモスクワはマイナス6・2度です。**「夏の気温はあまり変わらないのに、冬の気温はより寒い」という気温差が「冬将軍」の襲来を招いたということなのです。**

さらに平均値をとってみると、モスクワの11月20日から3月7日まで、1日の最高気温はずっと氷点下です。1日のうち一度も0度を超えないような寒さが100日以上も続く環境は、攻め込んできた兵士たちにとって、かなり厳しい寒さだったはずです。

夏の予想以上の暖かさに油断した兵士たちは、ここで、手痛いダメージを受けてしまうことになるのです。

ロシアの冬が寒い理由

なぜ、モスクワは夏の気温は同じぐらいなのに、冬になるとより寒くなるのでしょうか？

その理由として、**モスクワがより大陸の内部である「大陸性気候」であることが挙げられます**。

陸は「熱しやすく冷めやすい」、海は「熱しにくく冷めにくい」という特徴があるため、海から離れた内陸になればなるほど、気温の寒暖差が大きくなります。

また、内陸は乾燥するために水蒸気の供給が少なく、地表の熱が逃げやすいので、冬季はより寒冷になります。**大陸性気候**の大きな気温差こそが、ロシアを守ってきた「冬将軍」の正体なのです。さらに、北緯30度から60度くらいまでの間には、**偏西風**が吹いています。ヨーロッパにおいて、偏西風は大西洋を通ってヨーロッパに吹きます。

そのため、偏西風の影響が強いヨーロッパの西側は「熱しにくく冷めにくい」という海洋（大西洋）の影響が強くなり、偏西風の影響が弱いヨーロッパの東側は「熱しやすく冷めやすい」という大陸の影響が強くなります。こうした偏西風の影響も、パリやベルリンと、モスクワとの気温差を生み出す原因になっているのです。

さらに内陸からやってきたモンゴル軍

ロシア軍の強い味方である「冬将軍」ですが、その冬将軍にロシアが敗北した例もあります。それが、13世紀の**モンゴル帝国**の侵攻です。

モンゴルはヨーロッパロシアよりも東側に位置し、しかもさらに内陸にあります。そのため、冬の寒さは一段と厳しくなります。

記録を見ると、モンゴル軍は11月から3月という厳冬期にロシアに侵攻しています。ロシアの冬などものともしないモンゴル軍の騎馬軍団は、凍結した川を容易に渡ってロシアに侵入し、ロシアを支配下におさめることに成功したのです。

東に行けば行くほど下がる最低気温

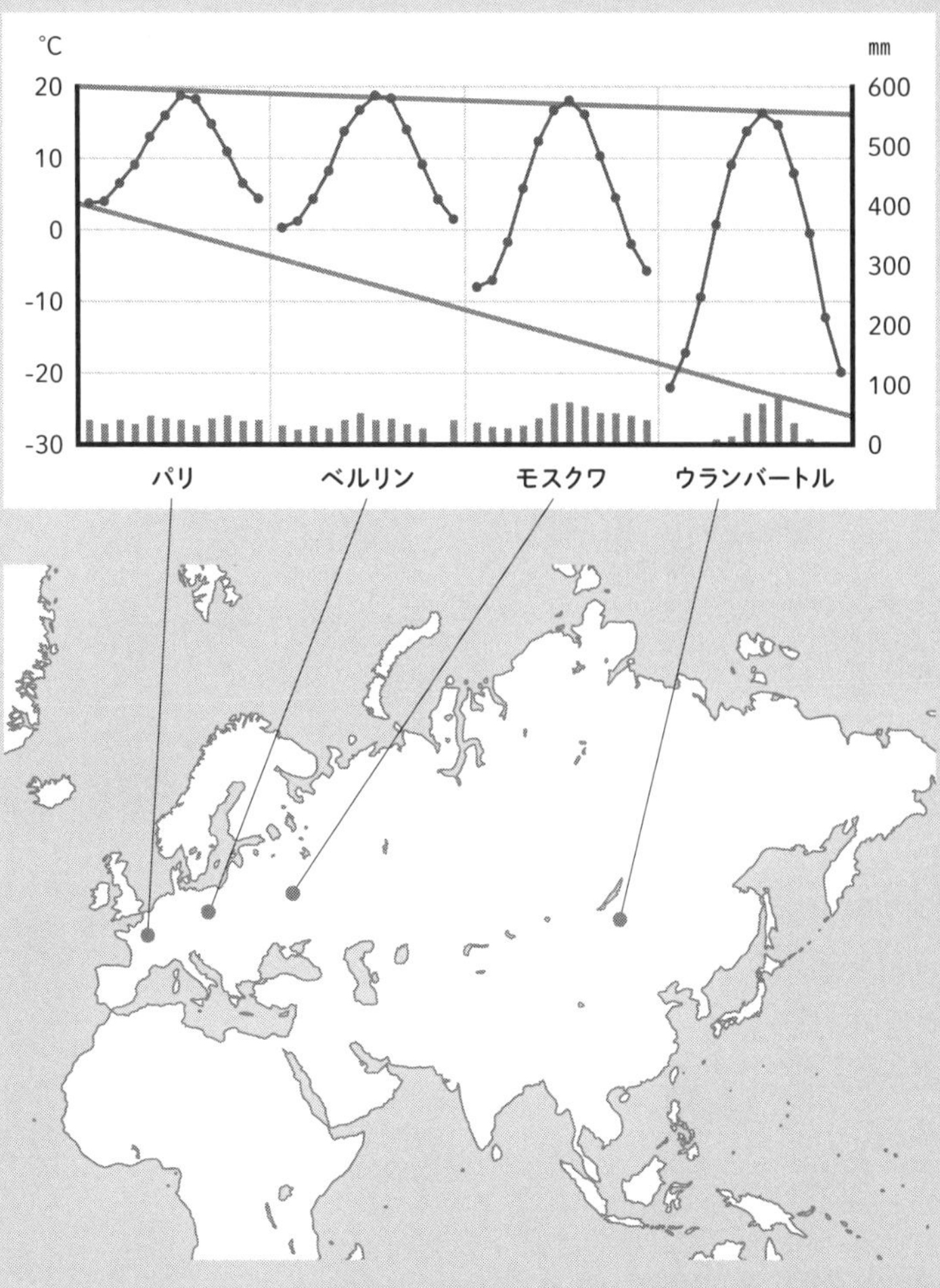

最高気温はあまり変わらないが東に行けば行くほど最低気温が下がる
↓
大陸の影響を大きく受ける「大陸性気候」となる

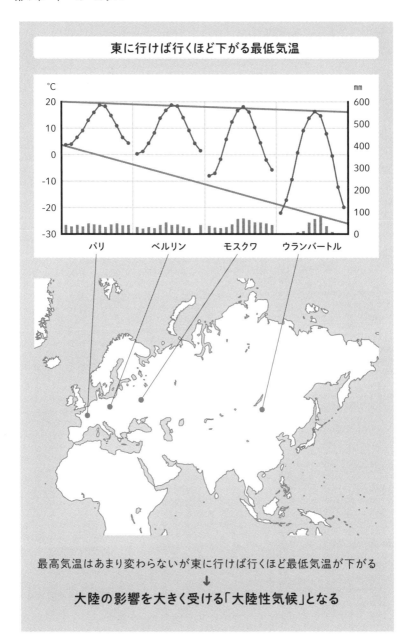

Number

17

近現代

『アルプスの少女ハイジ』の祖父は革命で戦った傭兵だった？

世界史用語

諸国民の春

地理用語

移牧　アルム（アルプ）

牧草を求めて移動する「移牧」

高校地理では、様々な農業形態について学びます。そのひとつに「**移牧**」という農業形態があります。これは、牧羊や酪農の際に、牧草を求めて移動しながら家畜を飼育するという形態です。

スペインでは、夏は北部の山地で羊を飼い、冬は南部で羊を飼うという長距離の移牧が見られます。中には500㎞を超えるような移動が行われることもあります。

夏の地中海沿岸は暑く、乾燥しているため、降水量が比較的多い北部の山間に移動して牧畜を行い、冬は降水量があり、温暖な南部に移動して牧畜を行うのです。

こうしたスペインの移牧は、「夏は暑く乾燥し、冬は降水量が多い」という地中海性気候の影響を強く受けた農業形態であるといえます。

スペインの移牧は、数百kmという距離を移動する平面的な移牧ですが、**標高差を利用した垂直方向の移牧**もあります。

典型的な例が、スイスなど、アルプス山脈で行われる移牧です。

アルプスの夏の高地は草地が広がる、絶好の放牧地となりますが、冬には雪に閉ざされてしまうので、放牧ができません（スキー場の夏と冬を想像してもらうといいと思います）。

そこで、夏には高地にある草地で家畜を飼育するとともに牧草を刈りためておき、初夏や秋にはやや標高の低い牧草地の牧草を食べさせ、冬には麓《ふもと》の村で干し草を与えながら家畜を飼育するというサイクルを繰り返して家畜を飼うのです。見た目、一年をかけて山を登ったり、下ったりする「垂直的」な移牧の形態をとるのです。

ハイジの物語が展開される夏の放牧地「アルム」

さて、スイスのアルプスといえば、テレビアニメ『アルプスの少女ハイジ』を連想する人が多いでしょう。

美しいアルプスの自然のもと、ハイジの成長が描かれる名作ですが、この「ハイジ」

の舞台こそが、まさにアルプスの「移牧」をベースにしているのです。まず、物語は両親を失い、おばのもとで暮らしていたハイジが「おんじ」といわれる祖父に預けられる場面から始まります。おんじはアルムの山小屋に住んでいるのですが、この**「アルム」は、夏の牧草地を指す言葉です。**山小屋は、夏に移牧してきた牛や羊の面倒を見る人々の夏の住居なのです。また、ハイジの友人となるペーターは、麓の村の人々からヤギを預かり、夏の間アルムでヤギを飼い、冬は麓に帰すというヤギ飼いの少年です。こうした移牧の描写がハイジのベースになっているのです。

移牧を前提としているハイジのストーリー

アニメの中のハイジの祖父は、麓の村（デルフリ村）の人々から変人扱いされています。アニメの中では、デルフリ村の子どもたちが「冬にあんな山の上にいるなんて、変人だよ」と言ってハイジの祖父を揶揄しているシーンがありますが、ライフサイクル的には、「夏は山の上、冬は麓の村」というのが、普通の移牧の形態なので、子どもたちも「変」だと言っているのです（その結果、ハイジはずっと山の上にいて学校に行けず、村の子どもたちに馬鹿にされてしまうという描写があります）。このセリフも、移牧を背景にしているアニメならではのものです。

近代の戦争に飲み込まれていたハイジの祖父

『アルプスの少女ハイジ』と歴史との関係について、もう少し掘り下げてみましょう。

ハイジがアルムに向かう道中、デルフリ村の人が「アルムおんじは、若いときに人殺しをしたっていうじゃないか」という発言をしています。

この描写について、原作ではハイジの祖父はナポリで傭兵をしていたとあります。

アルプスの少女ハイジのもととなる『ハイジの修業時代と遍歴時代』は1880年に発表されています。この物語が同時代のことを描いた小説であるとすると、ハイジの祖父は19世紀前半に、何らかの戦争に参加したと考えられます。

当時の状況を踏まえると、ちょうど自由主義や国民主義の風が吹き荒れていた「**諸国民の春**」の時代に近いと思われます。

その中で雇われ兵として戦ったということは、体制側に立ち、「民衆の敵」として、反乱を鎮圧したこともあったかもしれません。

そのような暗い過去を持つおんじにとって、人里離れたアルムの家はちょうどよい住みかであったに違いありません。

移牧

イベリア半島の移牧

夏場…
南部の高温・乾燥を避け
北部の山間部で放牧

毎年
数百kmに
わたって移動

冬場…
降水量が多く温暖な
南部で放牧

アルプスの移牧

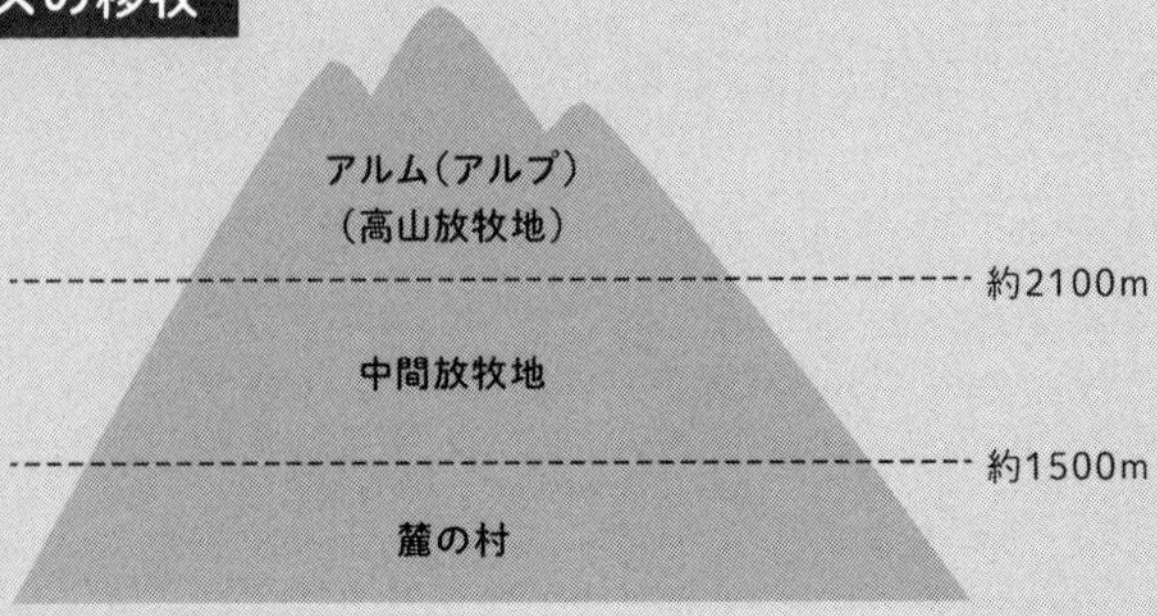

夏場…アルム（高山放牧地）で放牧

移動しながら放牧
夏場に干し草を刈りためておく

冬場…麓の村で干し草などを与えながら飼育

Number
18
近現代

ヒトラーも狙おうとしていた？ ウクライナに広がる「奇跡の土」

世界史用語
第二次世界大戦　独ソ戦　ヒトラー

地理用語
黒土　チェルノーゼム　ステップ気候　ハイデ

世界有数の穀物輸出国ウクライナ

2022年2月から始まったロシアによるウクライナ侵攻は、世界を揺るがす大きなニュースになりました。

人的な被害はもとより、世界経済に対するダメージも大きく、原油価格や穀物価格の上昇を招きました。

ウクライナは世界有数の穀物輸出国です。ウクライナの輸出が滞ることによって、穀物価格の上昇や、食糧危機の可能性の増大などを招いています。ロシアに対して、国際社会はウクライナからの穀物輸出を妨害しないよう要請しています。

また、輸出のみならず、ウクライナ南部が戦場になったことによって穀物の生産自体ができない農場も多く生み出され、穀物の生産量自体も下落しています。

「奇跡の土」はなぜできるのか

このように、世界の穀物価格を動かすほどの一大穀倉地帯が、ウクライナからロシアにかけて広がる**黒土**地帯です。

この地方の黒土は「**チェルノーゼム**」と呼ばれ、「奇跡の土」「土の皇帝」という異名を持つ、非常に豊かな土壌です。

では、この肥沃な土壌はどのようにできるのでしょうか。

ウクライナ南部からロシアにかけての地方は、乾燥帯のひとつである**ステップ気候**が分布しています。ステップ気候は、乾燥していて樹木が育たないものの、一定の降水量があることから草は生えることができるという気候です。

ステップ気候をもう少し細かく分けると、降水量の少ない、砂漠気候に近いステップと、比較的降水量が多い湿潤気候に近いステップに分けられます。

このうち、**湿潤気候に近いステップが、世界的に重要な穀倉地帯をつくるのです。**

比較的降水量が多いステップには適度な湿度があるので、草が生えては枯れ、それが微生物によって分解されて黒っぽい腐葉土になります。そして、次の年を迎えて、また草が生え、分解され腐葉土になるというサイクルをたどるのです。ステップ気候では土壌が流されるほどまでには雨が降らないので、腐葉土の上に腐葉土がたまり、養分が長年にわたって蓄えられた分厚い土壌となるのです。

こうした豊かな大地が戦場となり、不発弾や地雷が残り、何年もの間にわたって農業ができなくなるのは、世界にとって大きな損失です。

黒土を狙おうとしたヒトラー

この「土の皇帝」がいかに養分に富んでいるかを示すエピソードがあります。

それが、**第二次世界大戦**の「**独ソ戦**」の中で、**ヒトラー**がウクライナに侵攻した際、貨車を仕立ててチェルノーゼムをドイツに持ち帰ろうとしたという逸話です。

ドイツの平野部は、かつて氷河に覆われており、氷河による侵食を受けて養分のある土が削り取られ、**ハイデ**（荒地）と呼ばれるやせた土地が広がっています。ヒトラーは、ウクライナの土を持ち帰り、ドイツに豊かな実りをもたらそうとしたというのです。

この話の出典は明らかでなく、実際は「よくいわれる俗説」の域を出ません。

ただ、あながち嘘とも言い難いのは、現在においても黒土を保護し、国外への流出を防止するような法律が制定されている国があるからです。

「土の皇帝」チェルノーゼム

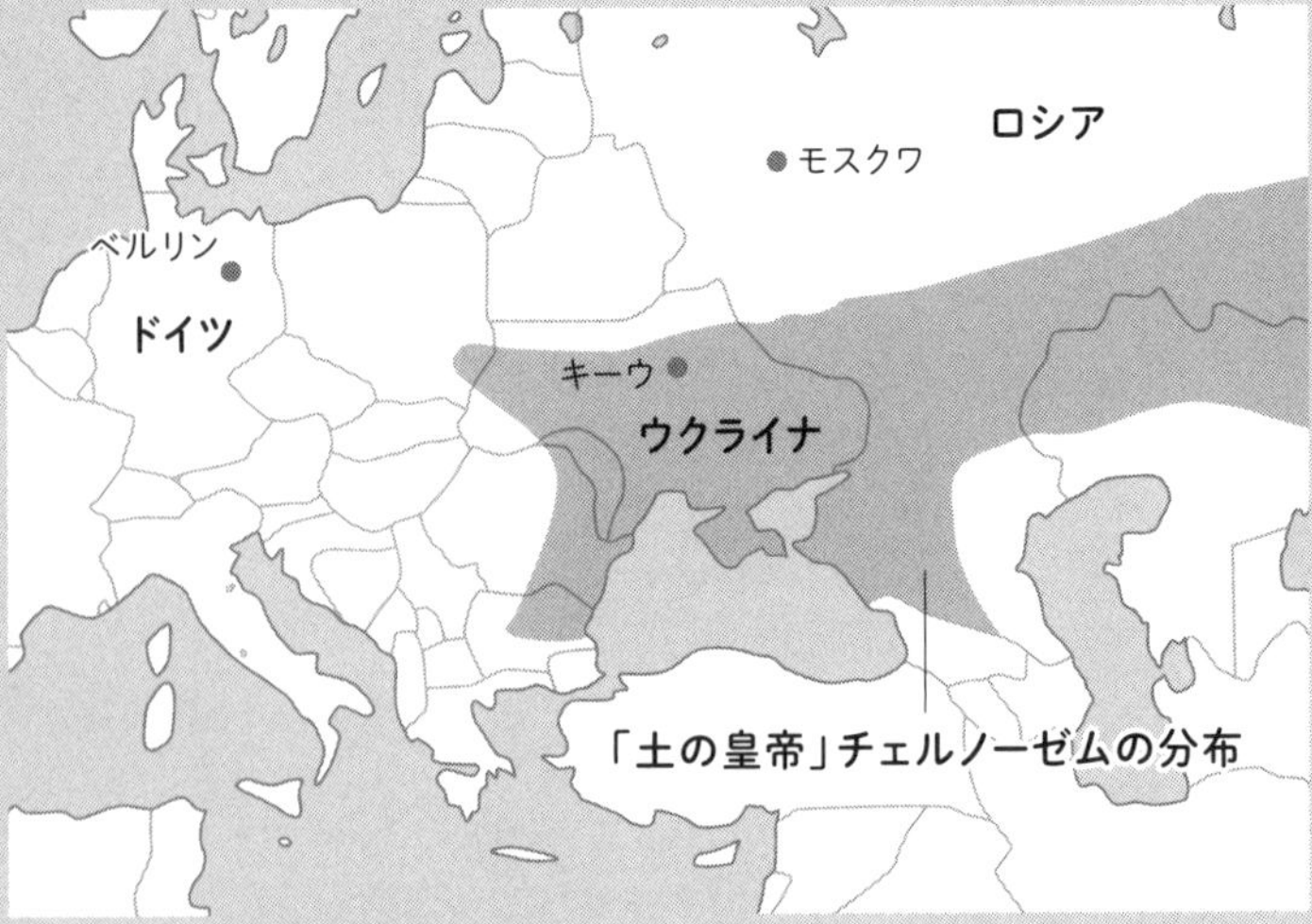

それが、**2022年に制定された、中華人民共和国の「黒土保護法」です。**

中国北部のステップ地方に位置する黒土を保護するために、国家主席の習近平は、中国の黒土を「耕地のジャイアントパンダ」と称し、その保護を法的に義務づけているのです。この背景には、耕地の保護だけではなく、黒土の盗掘や不当な売買を禁止して、国外への流出を防ぐ意図もあります。生産物や技術の流出のみならず、「土」そのものを法律で保護する、というのも興味深い話です。

Number 19 近現代

なぜ、「ロシアの周辺」ばかり民族問題が多発するのか？

世界史用語
ソヴィエト連邦　ロシア共和国　ペレストロイカ

地理用語
国境紛争　民族問題

ロシア周辺で特に多い国境紛争・民族問題

ロシアによるウクライナ侵攻をはじめとして、チェチェン問題や南オセチア問題など、ロシア関連の**国境紛争**や**民族問題**は多いように思います。

なぜ、このような問題がロシア周辺で起こりやすいのでしょうか？

理由は、かつてのソ連、そしてロシアが抱える多重構造が問題を引き起こす原因になっているからです。

１９２２年から１９９１年まで存在していた**ソヴィエト連邦**は、15の構成国からなる連邦国家です。

そして、その中で最大の存在が**ロシア共和国**でした。

ロシア共和国は、ソ連の崩壊後「ロシア連邦」といわれるようになります。ロシア連邦も50近い州と、20を超える共和国から構成されています。

つまり、ソ連の時代にはソ連自体も「連邦」ですし、その中のロシアも実質的な「連邦」だったということになるのです。

ロシアの有名なお土産に「マトリョーシカ」という入れ子人形がありますが、**ソ連（ロシア）は、まさに連邦の中に連邦がある「マトリョーシカ」のような国家だったのです。**

ソ連の構成国に混在することになったロシア系の住民

この構造が、ロシアの民族問題の根底にあります。

ソ連がひとつの国として認識されていたときは、ロシアの人々が多くの共和国に出入りし、その中で居住することもあったでしょうし、現在もロシアの連邦内には、ロシア人が広い範囲に分布し、居住しています。

しかし、ソ連が崩壊した途端、その構造が問題を引き起こしたのです。ソ連が分裂してしまうと、**各共和国に居住しているロシア人は、一気にそれぞれの共和国内の「少数派」となってしまうのです。**このケースを象徴する例が、ロシアのウクライナ侵攻です。

ロシアがウクライナに侵攻する大義名分は、ウクライナでは「少数派」になっているロシア系住民の保護でした。

ロシア連邦から独立の声を上げた民族共和国や自治州

また、ソ連の15の構成国については、ソ連が崩壊し、別々の共和国として独立したわけですが、**これらの共和国が独立の声を上げ始めると同時に、各構成国の中の民族共和国や自治州なども民族意識を高め、「各共和国が独立したのだから、同じように我々も独立したい」と、分離独立を要求するようになったのです**（この背景には、当時のソ連が行っていた「**ペレストロイカ**」の動きがあります。情報公開が始まり、部分的な言論の自由が認められたことにより、そうした声が表面化したのです）。

このケースには、ロシア連邦から独立しようとしてロシアからの鎮圧を受けたチェチェン共和国の例や、ジョージアからの分離独立を求めるアブハジアや南オセチアの例、アルメニア系の住民が多数派のため、アゼルバイジャンからの分離とアルメニアへの帰属を求めるナゴルノ＝カラバフの例などがあります。

特にアブハジアや南オセチアはロシアの強い影響下にあり、政治・経済の「ロシア化」が進んでいます。

民族の「マトリョーシカ」ロシア

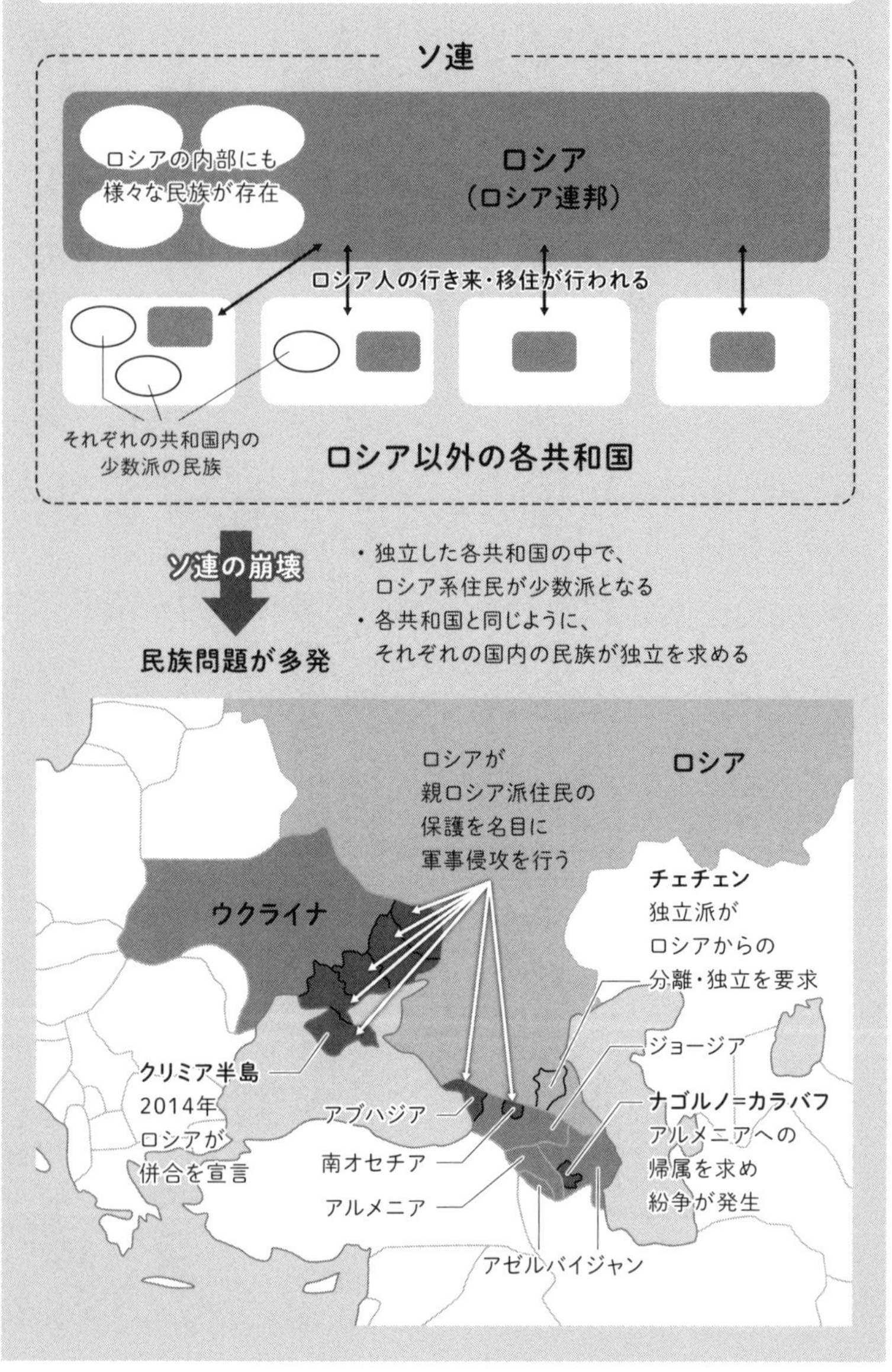
ソ連
ロシアの内部にも
様々な民族が存在
ロシア
（ロシア連邦）
ロシア人の行き来・移住が行われる
それぞれの共和国内の
少数派の民族
ロシア以外の各共和国
ソ連の崩壊
民族問題が多発
・独立した各共和国の中で、
ロシア系住民が少数派となる
・各共和国と同じように、
それぞれの国内の民族が独立を求める
ロシアが
親ロシア派住民の
保護を名目に
軍事侵攻を行う
ロシア
ウクライナ
チェチェン
独立派が
ロシアからの
分離・独立を要求
ジョージア
クリミア半島
2014年
ロシアが
併合を宣言
アブハジア
南オセチア
アルメニア
ナゴルノ=カラバフ
アルメニアへの
帰属を求め
紛争が発生
アゼルバイジャン

Number
20
近現代

フランスが「ヨーロッパの大国」になれたのは「地形」に秘密があった！

世界史用語
マジノ線

地理用語
ケスタ地形

ヨーロッパの中心的存在であったフランス

高校の世界史の教科書の中で、ヨーロッパの大国として長らく君臨した国といえば、フランスでしょう。フランスは豊かな農業生産力をベースに、西ヨーロッパの中心的な存在であり続けました。

中世では、分裂状態だったドイツやイタリア、名目上はフランス王家の家臣であったイギリス王家に対して優位を誇っていましたし、近世ではブルボン家が強い王権を持ち、他国の戦争に介入しました。

また、フランス革命の時代にはナポレオンが大陸ヨーロッパを支配しました。フランスはヨーロッパ史の主役を演じ続けたのです。

このようにフランスがヨーロッパの大国であり続けた理由として、豊かな生産力の他に、じつは地形も大きな要素として挙げることができます。

フランスを守る防衛線となった「ケスタ」

フランスを「ヨーロッパの大国」にした「地形」とはどのようなものかというと、それは、大規模な**ケスタ地形**です。

ケスタとは、水平に堆積した地層がわずかに傾き、長年の風雨により侵食された結果、硬い地層が残り、軟らかい地層が大きく侵食され、緩斜面と急斜面が交互に現れる独特の地形です。

パリ周辺のケスタはその代表例で、フランス北部からドイツの国境に至るほど大規模です。

しかも、パリを中心として同心円状のケスタが見られるのです。農業国フランスは、緩斜面で小麦を、急斜面でブドウを育てるという土地の使い分けをしています。

このケスタが、フランスを大国にした防衛線になったのです。

ケスタの緩斜面はパリ側、急斜面は外側に向かっています。ということは、パリを防衛するならば、急斜面の丘陵上に防衛線を構築すれば、登ってくる敵を見下ろしながら攻撃することができるのです。**フランスが大国であり続けた背景には、こうしたケスタによる強い防御力があるのです。**

第二次世界大戦には効果がなかったケスタの防衛線

第二次世界大戦に備えて、**フランスが構築した防衛線である「マジノ線」も、そのようなケスタの地形を活用した防衛線でした。**ケスタの丘陵上に要塞を配置し、ドイツの侵攻を防ごうとしたものです。のべ４００㎞にわたる防衛線は、フランス防衛の象徴的な存在でした。

ところが、戦争が始まると、ドイツ軍はベルギー国境のアルデンヌの丘陵地帯から攻撃してきたのです。アルデンヌは森林で覆われ、大規模な軍隊の展開は困難だと思われていました。そのため、フランスはこの地の防御陣地の構築が不十分で、比較的弱体な軍隊を配置していたのです。そこでドイツは、アルデンヌの森に戦車を含む部隊を集中させて突破し、マジノ線には航空戦力を投入することで突破に成功したのです。フランスは最強の防衛線が無力化され、1年も経たずにドイツに降伏することになりました。戦後のマジノ線は「無用の長物」といわれてしまいました。

パリを守ったケスタ地形

ケスタ

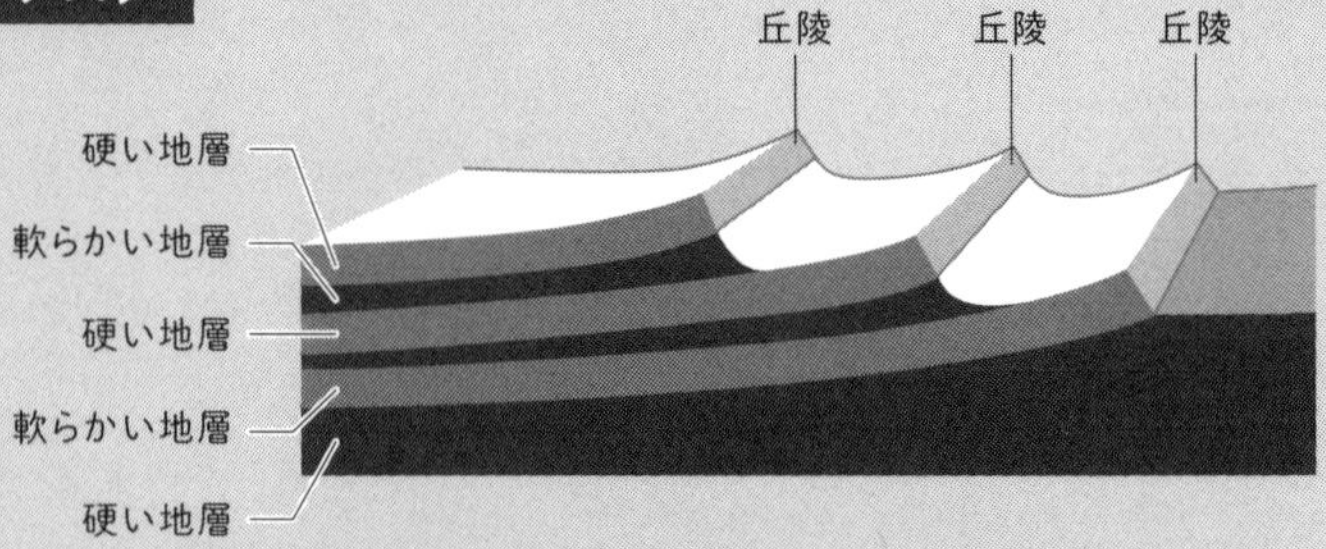

硬い地層と軟らかい地層が交互に堆積

↓

侵食のされ方の違いにより、
緩斜面と急斜面が交互にあらわれる独特な地形が形成される

パリ盆地のケスタ

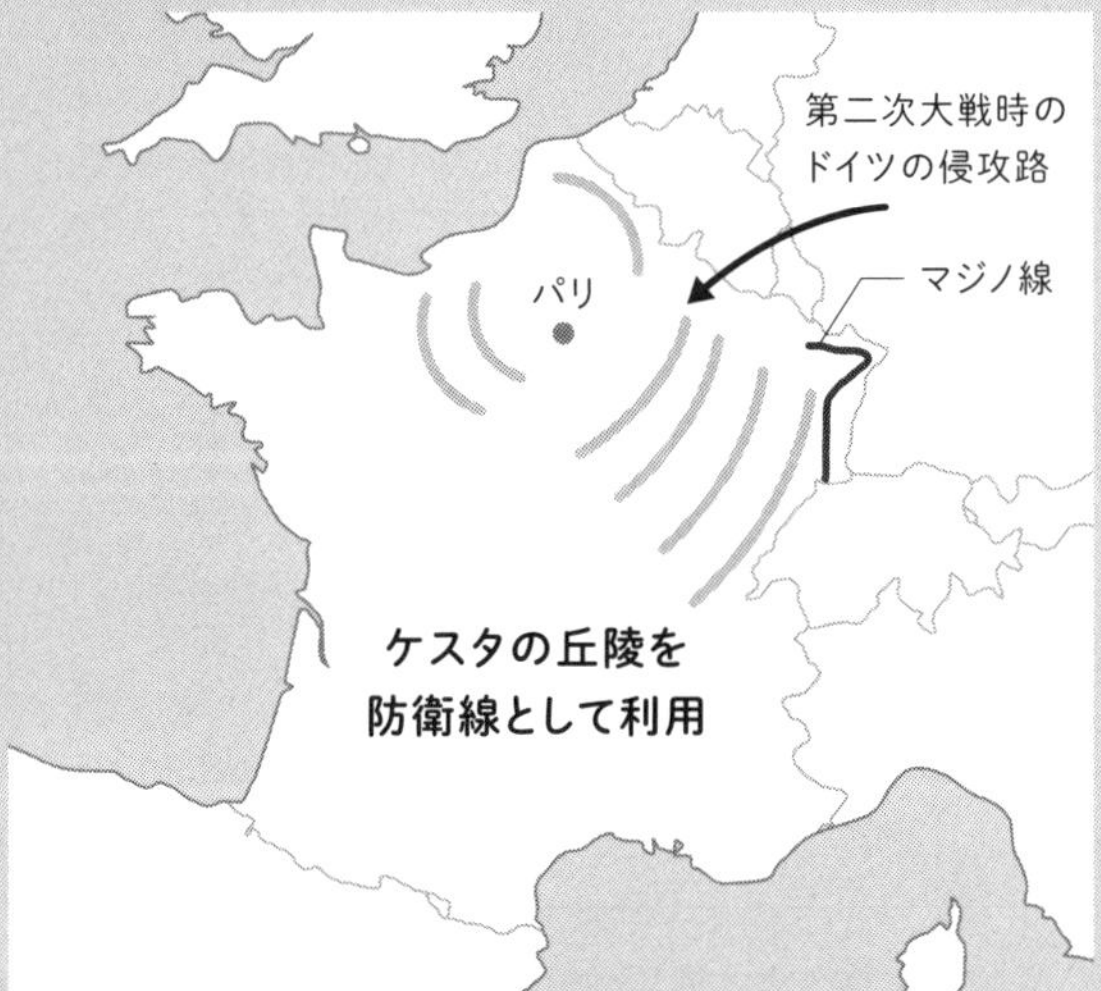

第2章
南北アメリカ大陸

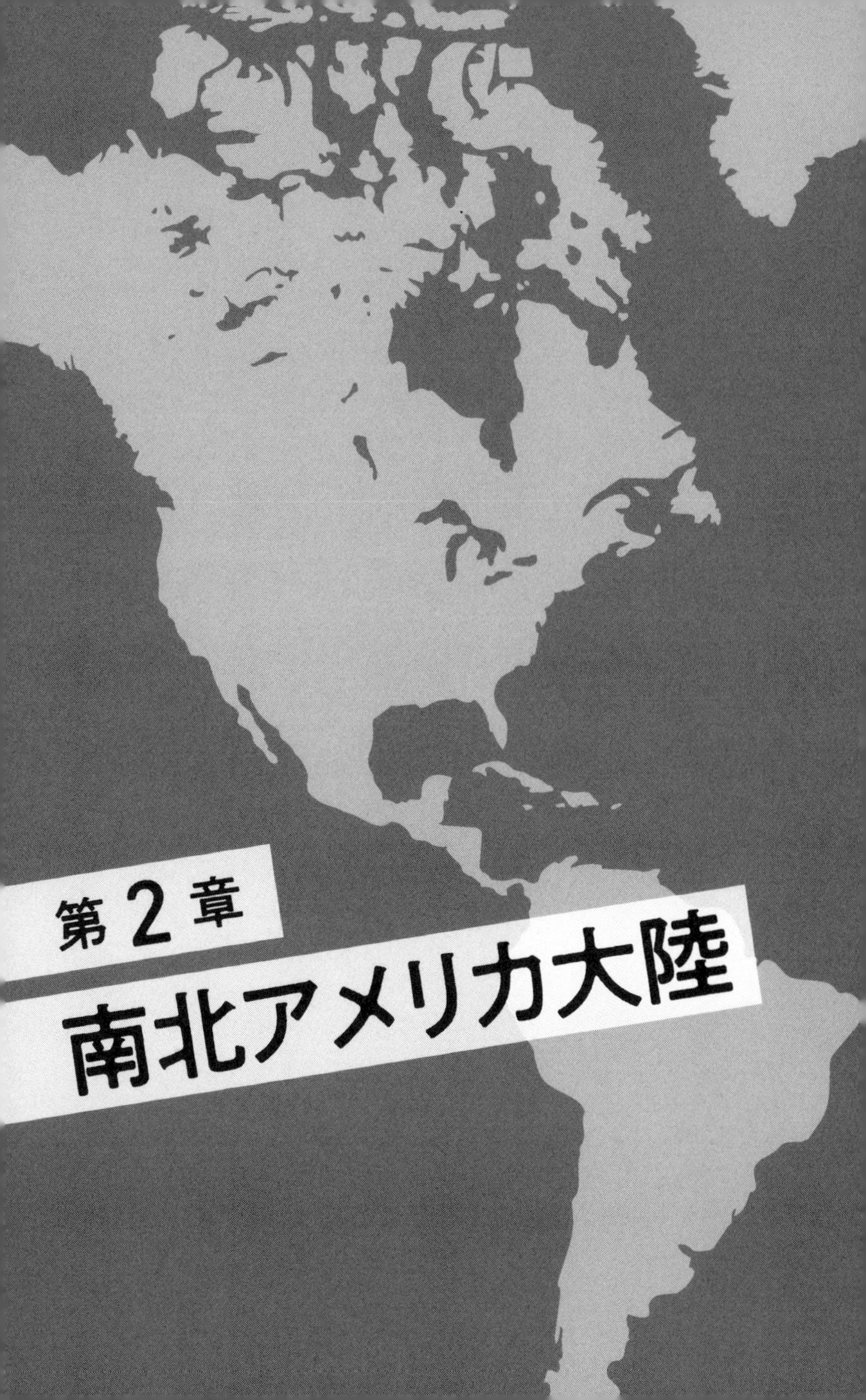

Number

21

中世

アメリカ大陸の北東にある「グリーンランド」がデンマーク領なのはなぜ？

世界史用語

ヴァイキング　EC

地理用語

グリーンランド　地球温暖化　氷雪気候　ツンドラ気候　大陸氷河

実はデンマーク領だった世界一大きな島

世界一大きな島といえば、どこを思い浮かべるでしょうか？

国際的に定められた定義はありませんが、慣例として**オーストラリア大陸以上の面積を持つものを大陸、オーストラリア未満の面積のものを一般的に「島」と呼んでいます。**

そうすると、世界一大きな島は、北アメリカ大陸の北東に位置する**グリーンランド**ということになります。この大きな島がヨーロッパに位置するデンマークの領土と聞くと、意外に思う人も多いのではないでしょうか。

10世紀頃、アイスランドからグリーンランドに**ヴァイキング**が渡り、定住が始まりました（それ以前から居住している人も存在しています）。13世紀にはノルウェーの支配下に入り、のちにノルウェーはデンマークの支配下に入ったため、グリーンランドもデンマーク領になったのです。デンマークがグリーンランドに本格的に人を送り込み、定住させたのは19世紀以降のことです。

独立論が根強いグリーンランド

現在、グリーンランドにはデンマークから大きな自治権を与えられています。

そのため、デンマーク領ではあるものの、**デンマークが加盟していたEC（EUの前身であるヨーロッパ共同体）から、グリーンランドが独自に脱退するなど**、デンマークとはしばしば別行動をとっています。また、デンマークからの独立論も根強いものがあります。

グリーンランドは本国のデンマークとは遠く離れ、むしろ北アメリカ大陸に近い位置にあります。貿易額を見ればデンマークとの輸出入の割合はそれなりに多いものの、近年はアメリカ合衆国やカナダとの貿易額が増加しています。

また、第二次世界大戦のときに、デンマーク本国がナチス＝ドイツに占領されると、グリーンランドがアメリカ合衆国の保護を受けることもありました。冷戦期にはアメリカ合衆国の基地が設置されており、経済に加え軍事的にもカナダやアメリカ合衆国との結びつきが強くなっているのです。

独立論をアシストする地球の温暖化

こうしたことから、グリーンランドではデンマークから独立しようという意識が強くなっており、近年の**地球温暖化**がその議論にさらに拍車をかけているのです。

一般的に、温暖化は地球環境にとって悪い影響を与えると考えられていますが、グリーンランドの場合、温暖化に好感を持つ人が少なくないのです。

グリーンランドは国土のほとんどが**氷雪気候**や**ツンドラ気候**などの寒帯に属しており、広い**大陸氷河**に覆われています。地球温暖化によって氷河が解けると、グリーンランドの地下に眠るといわれるレアアースなどの資源開発が容易になり、今はごく一部のみで行われている農業も、もっと広い場所で営むことができます。また、氷に閉ざされる時期が短くなれば、主要産業である漁業の操業時間も長くなります。

温暖化により、独立に必要な経済力が高まるのではないかと期待する声が多く、グリーンランドの人々の一部には強い「地球温暖化待望論」があるというわけなのです。

グリーンランドとデンマーク

グリーンランド

- 位置的に北アメリカ大陸に近く、経済的・軍事的にアメリカ・カナダと接近
- 地球温暖化の進行により独立が近づくという「温暖化待望論」もある

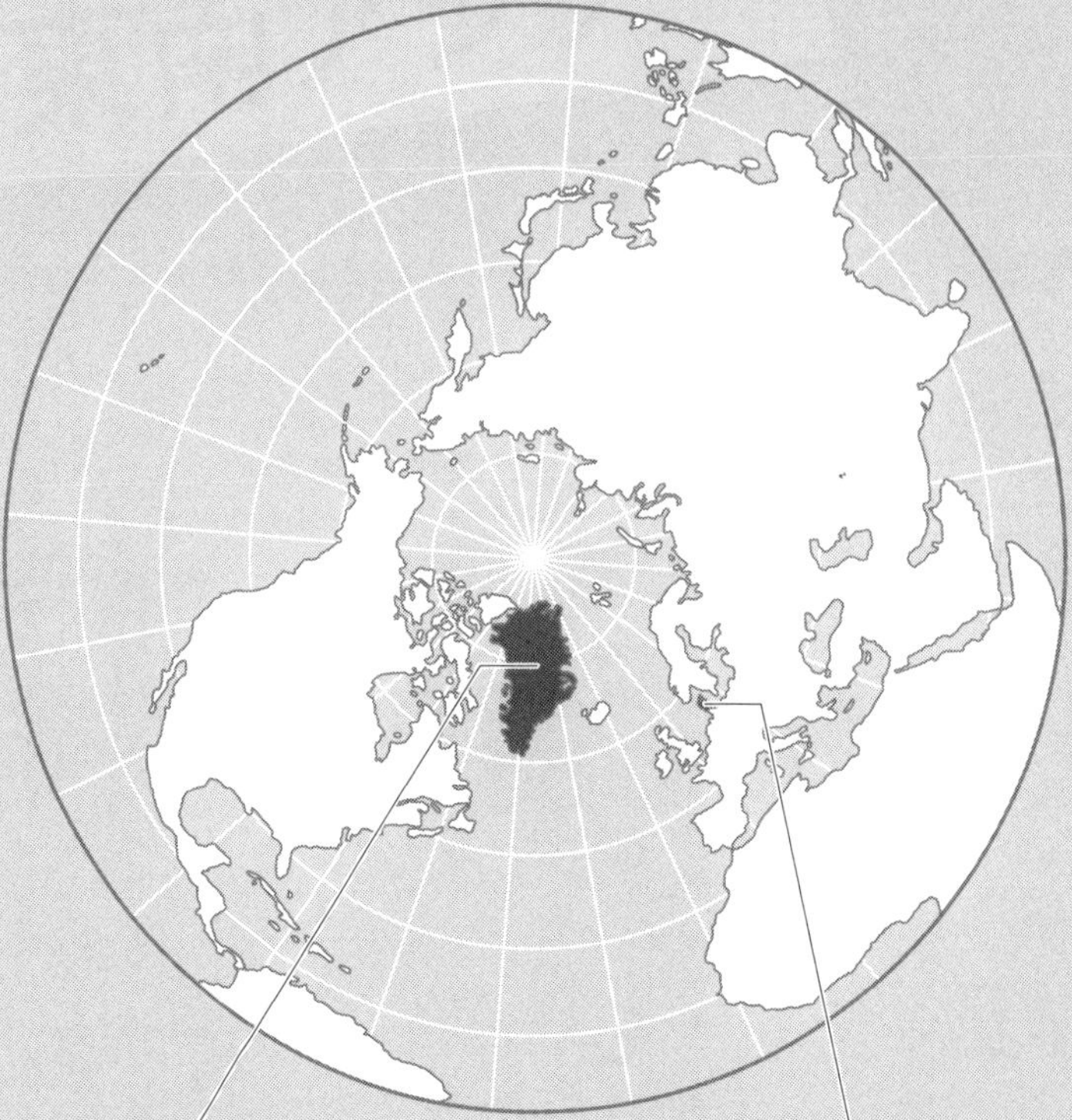

グリーンランド

面積　2,166,000㎢（デンマークの約50倍）

人口　5万7000人（デンマークの約100分の1）

デンマーク

面積　42,950㎢

人口　586万人

Number

22

近世

大航海時代、なぜスペインは中南米を積極的に植民地にしたのか?

世界史用語

大航海時代　中南米の植民地化　石見銀山

地理用語

新期造山帯　環太平洋造山帯

「中南米率」が高い銀・銅の生産国

金、銀、銅は価値の高い金属として、世界の歴史において貨幣の素材として使われてきました。現在、貨幣の他にも様々な工業原料として、産業になくてはならない存在になっています。

銀、銅がよく採れる国を見ると、銀はメキシコ、中国、ペルー、チリ、ロシアの順、銅はチリ、ペルー、中国、コンゴ民主共和国、アメリカの順になっています。

やはり面積の大きな国ほどよく採れているのですが、その中でも、メキシコ、ペルー、チリといった、かつてスペイン領だった中南米の国の割合も高くなっているのです。

スペイン人たちが信じた「エル・ドラド」伝説

その理由のひとつが、スペインの探検家たちが信じて探し求めた黄金郷（エル・ドラド）伝説です。その内容は、南米大陸のジャングルの奥に秘密都市があり、人々は金をふんだんに使って生活しているというものです。

大航海時代以降、黄金郷伝説に魅せられたスペイン人たちは南アメリカ大陸の奥地にあるという伝説の黄金郷「エル・ドラド」を求めて盛んに中南米に進出し、これらの地を植民地にしました。

インカ帝国やアステカ王国を征服したときに征服者たちが多くの金や銀を実際に手にできたことも、この地が「黄金郷」に近い証拠であるとされました。スペインは手にした植民地で盛んに鉱山開発を行いました。そうした鉱山開発の伝統が残っていることが、これらの地で現在も銀や銅の採掘が盛んであることの理由のひとつです。

中南米で金・銀・銅が採れる理由

中南米、特に太平洋側で金、銀、銅が多く採れることには、伝説の存在の他に地理的な理由もあります。それは、**新期造山帯のひとつである、いわゆる環太平洋造山帯に位**

置していることです。

新期造山帯は、プレートの境目にあり、火山活動や地震が活発な地域です。これらの地域では、マグマの活動で温められた水が活発に運動し、マグマや岩の中にある金や銀や銅の成分を水の中に取り込みます。

こうした金や銀、銅の成分が溶け込んだ水が岩盤の割れ目や隙間に入り、地表近くになると冷やされ、金属の成分が沈殿して固まります。これが、鉱床となるのです。新期造山帯では地表近くに鉱床があり、金や銀を取り出しやすいのです。

温められた水、すなわち「温泉」があるところに金や銀の鉱床ができやすい、ということは日本も金や銀が豊富に採れるということです。戦国時代や江戸時代に盛んに開発された佐渡金山や**石見銀山**の例が挙げられます。一時は、石見銀山の銀の採掘量は世界の銀の産出量の3分の1に達していたともいわれます。

銀と違う傾向を示す現在の金の産出

ここまで、「金・銀・銅」を並べて話をしてきましたが、現在の金の産出量の統計を見ると、メキシコは6位、ペルーは9位にランクインしているものの、そのほかの国は中国・オーストラリア・ロシアなどの国土の広い、新期造山帯以外の地域の国がランク

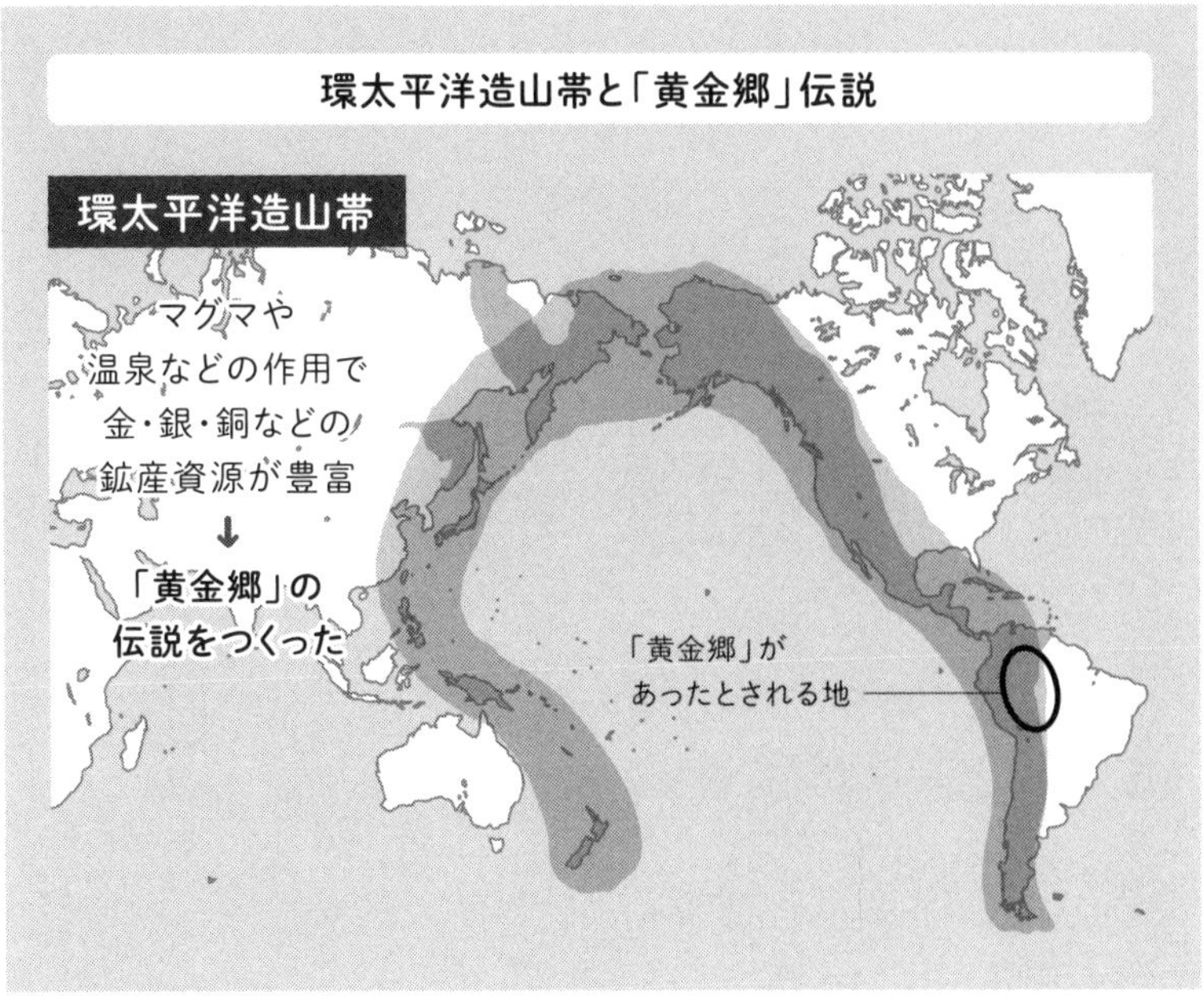
環太平洋造山帯と「黄金郷」伝説
環太平洋造山帯
マグマや温泉などの作用で金・銀・銅などの鉱産資源が豊富
↓
「黄金郷」の伝説をつくった
「黄金郷」があったとされる地

インしています。これは、金が銀よりも貴重な金属であるために（世界の総産出量は銀の8分の1ほどです）、環太平洋造山帯にある昔ながらの主要な鉱山では掘りつくされているからです。

そのため、国土が広い、ある程度の経済力のある国が、露天掘りのような大鉱山を開発し、広大な土地を一気に掘ったほうが、コストがかからないという事情があるのです。

Number

23

近現代

ロシアが金欠だった？「アラスカ」がロシア領からアメリカ領になった真相

世界史用語
クリミア戦争

地理用語
アラスカ　人為的国境
ベーリング海峡

世界最大の飛び地アラスカ

世界地図を見ると、前述のカリーニングラード以外にも、数多くの「飛び地」があることがわかります。

その中でも、世界最大の飛び地である**アラスカ**はひときわ目をひく存在です。日本の４倍の面積というその巨大さと、西経１４１度に沿って引かれた長大な**人為的国境**でカナダに接していること、また、最大の都市であるアンカレジは、かつては日本からヨーロッパへ向かう航空便の中継地点となっていたことなど、アラスカは地理的にも話題豊富な地域です。

中世まで、狩猟や漁業などを営む民族の居住地だったアラスカに、国家事業として手をつけたのがロシアでした。

まず、17世紀中頃、ロシア帝国の探検家がアラスカに渡りました。次いで１７２８年にロシアの船に乗ったデンマークの探検家ベーリングが探検を行い、ユーラシア大陸とアメリカ大陸を隔てる「**ベーリング海峡**」の名を命名したとされます。１７９９年にはロシアがアラスカの領有を宣言し、ロシア領アラスカが成立します。ラッコなど、アラスカで捕れる動物の毛皮でロシアは利益を得ていました。

アラスカを売ったロシアの「金策」

なぜ、ロシア領だったアラスカが、アメリカ領になったのでしょうか？

理由は、意外にもロシアの「金策」でした。ロシアは１８５３年から戦われた**クリミア戦争**に敗北し、財政難に陥っていたのです。

また、クリミア戦争で戦ったライバル国のイギリスはカナダを領有していたため、陸続きのカナダからアラスカを攻められると、その防衛にも多額のコストがかかってしまうことになります。**そこで、１８６７年、ロシアはアメリカにアラスカを売却することにしたのです**。

このときにロシアがどれだけ切羽詰まっていたのかが、その値段からわかるような気がします。1㎢あたり5ドル未満の、720万ドルという値段で、現在の日本円に直すと、200億円ほどといわれています。現在の日本で考えれば、日本人が一人あたり200円ほど払えば、日本の約4倍の面積の領土が手に入るという驚きの安さです。

ところが、アメリカ国内では購入にあたった当時の国務長官に対して、「無駄遣い」という悪評が立ち、「巨大な冷蔵庫を買った」という批判が浴びせられてしまいました。

経済的・軍事的に高まったアラスカの価値

しかし、この悪評は20世紀に入ると、「先見の明」と称えられることになります。

アラスカは新期造山帯のうち、環太平洋造山帯にあたる地域です。新期造山帯周辺では金や銀、原油などが豊富に産出されるため、1896年、アラスカで金が発見されてゴールドラッシュが始まり、さらに戦後に油田が発見されると、アラスカの価値が大いに高まったのです。また、現在も**アラスカがロシア領のままであったら、と想像すると、カナダとアメリカ合衆国は、陸続きに大きな軍事的脅威を抱えることになり、現在のアメリカの安全保障体制にも大きな影響が出ていたに違いありません。**

当時の国務長官による購入はアメリカ合衆国にとって無駄遣いどころか、「大英断」だったといえるでしょう。

「世界最大の飛び地」アラスカ

「批判」から一転「称賛」に変わったアメリカのアラスカ購入

財政難のロシアが1867年にアメリカ合衆国に売却し飛び地となる

↓

のちに金鉱・油田が見つかる。軍事的な価値も高い

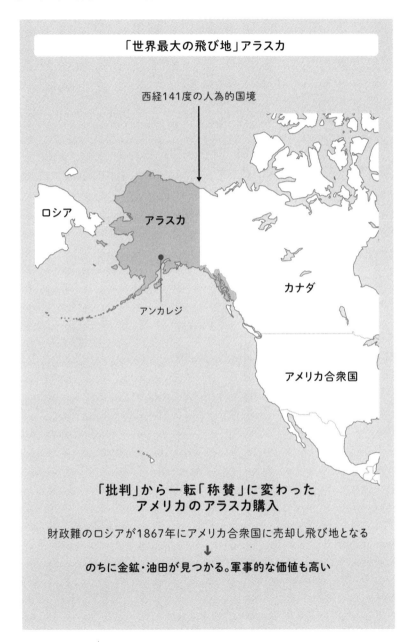

Number

24

近現代

なぜ、アメリカ「中西部」に「共和党支持者」が多いのか？

世界史用語

南北戦争　リンカン大統領　ホームステッド法　共和党

地理用語

散村　タウンシップ

アメリカ中部に見られる無数の正方形

高校の地理では、円形の「円村」、道に沿って列状に家屋が並ぶ「路村」など、様々な村落の形態について学びます。「グーグルマップ」などの地図アプリを活用すれば、様々な村落の形態を航空写真で確認することができます。

中でも、アメリカの「アイオワ州」周辺を地図アプリの航空写真で見ると、正方形の区画が無数にあることがわかります。

よく見ると、区画ごとに住宅があり、加えてそれぞれが離れて存在しています。

このような、バラバラに家屋が存在する村落の形態を「**散村**」といいます。

開拓の歴史を持つ村落の形態

散村の多くは、開拓の歴史を持ちます。**それぞれの家に開拓地を割り当てて入植させ、それぞれの土地を開拓させせると、家々が離れて存在する散村になるのです。**

散村はアイオワ州などのアメリカ中部やカナダの南部によく見られ、日本では富山県の砺波平野や島根県の出雲平野に見られます。

アメリカの拡大とともに広がったタウンシップ

アメリカ合衆国は、独立以来、買収や併合を重ねて多くの土地を獲得し、その領土を広げてきました。当初は併合した領土を「公有地」にしていたのですが、今度はこの獲得した土地に農民を割り当て、農地にしていかねばなりません。

そこで、アメリカ政府は、広大な土地を区画に分けて農民たちに払い下げたのです。この区画を「**タウンシップ**」といいます。

当時のアメリカで用いられた一般的な距離の単位であるマイルを用いて、まず、１辺６マイル（約９・７㎞）の正方形に土地を区画し、基準とします。その中を１マイル四方に分けて、36の小区画をつくります（このうち、16区画目には学校が置かれます）。その区画を4つの家で分けて開墾していくのです。

この分け方によると、ひとつの家庭につき、約800メートル四方の土地（160エーカー：約64万平方メートル）に分けられます。

そうすると、6マイル平方の土地に、140軒の農家が存在する「散村」が生まれ、その中に学校がひとつある、という計算になるのです。

南北戦争によって、一気に拡大した西部の開拓

このように「公有地」だった土地を区画し、農民に割り当てていけば未開拓の土地が広大な農地になる、とアメリカ政府は考えたのですが、現実はなかなかうまく進みません。

当初は有償、つまりお金で農民に販売していたのですが、それなりに高額だったため、買い手があまりつかなかったのです。

その状況に変化を起こしたのが、アメリカが経験した最大の内戦である**南北戦争**に直面した**リンカン大統領**です。南北戦争に苦戦したリンカンは、1862年に「**ホームステッド法**」を制定します。

「ホームステッド法」は、未開の公有地に5年間暮らし、農業を行えば、タウンシップのひと単位の土地、160エーカーが無償で与えられるという内容です。

当初、この法案はアメリカ南部の農園経営者に反対され、何度も廃案になっていました。南部の富裕な経営者は、奴隷を使って大規模に農場を営もうと考えていたため、中規模な自作農民が増える政策に反対していたのです。

しかし、南北戦争によって南部が合衆国から離脱すると、ホームステッド法は反対を受けずに議会を通過し、成立する運びとなったのです。なにしろ、5年間そこで耕作すれば、その土地をもらえるという法律ですから、西部の農民は盛んに耕作を始めます。

土地を与えられた農民はリンカンたちの共和党を支持することになり、南北戦争で北部が勝利する支持基盤になりました。 1986年に制度が終了するまで、ホームステッド法で土地を与えられた件数は160万件にのぼったとされるので、アメリカ中部には160万の「四角形の畑」が密集することになったのです。

いまだ共和党支持が強いアメリカ中部の農民層

アメリカ中部の農民の間で共和党の支持が強いという名残は、現在のアメリカの二大政党の支持基盤にも残っています。

アメリカ合衆国の大統領選挙において、共和党を支持する傾向がある州を「レッド・ステート（赤い州）」、民主党を支持する傾向がある州を「ブルー・ステート（青い州）」といいますが、ちょうど、**ホームステッド法で土地を与えられた、正方形の区画が並んでいるような州が、代表的な「レッド・ステート」であることが知られているのです。**

テレビ・映画などで描かれるアメリカの歴史の背景

開拓時代を背景にしたドラマや映画、文学は数多くあります。

「ホームステッド法」の西部開拓の歴史は、かつて日本でも大ヒットしたテレビドラマ『大草原の小さな家』や、西部劇を中心とする映画などの背景になっています。

ただ、「無償で土地を与える」ことの裏には、アメリカの先住民が土地を追われるという歴史があることも忘れてはいけないでしょう。ホームステッド法の制定により、押しのけられるように先住民は居留区への移住を強制され、「統治」されるべき存在になってしまいました。現在でも、先住民の権利をめぐる問題はアメリカのひとつの課題になっています。

タウンシップと「レッド・ステート」

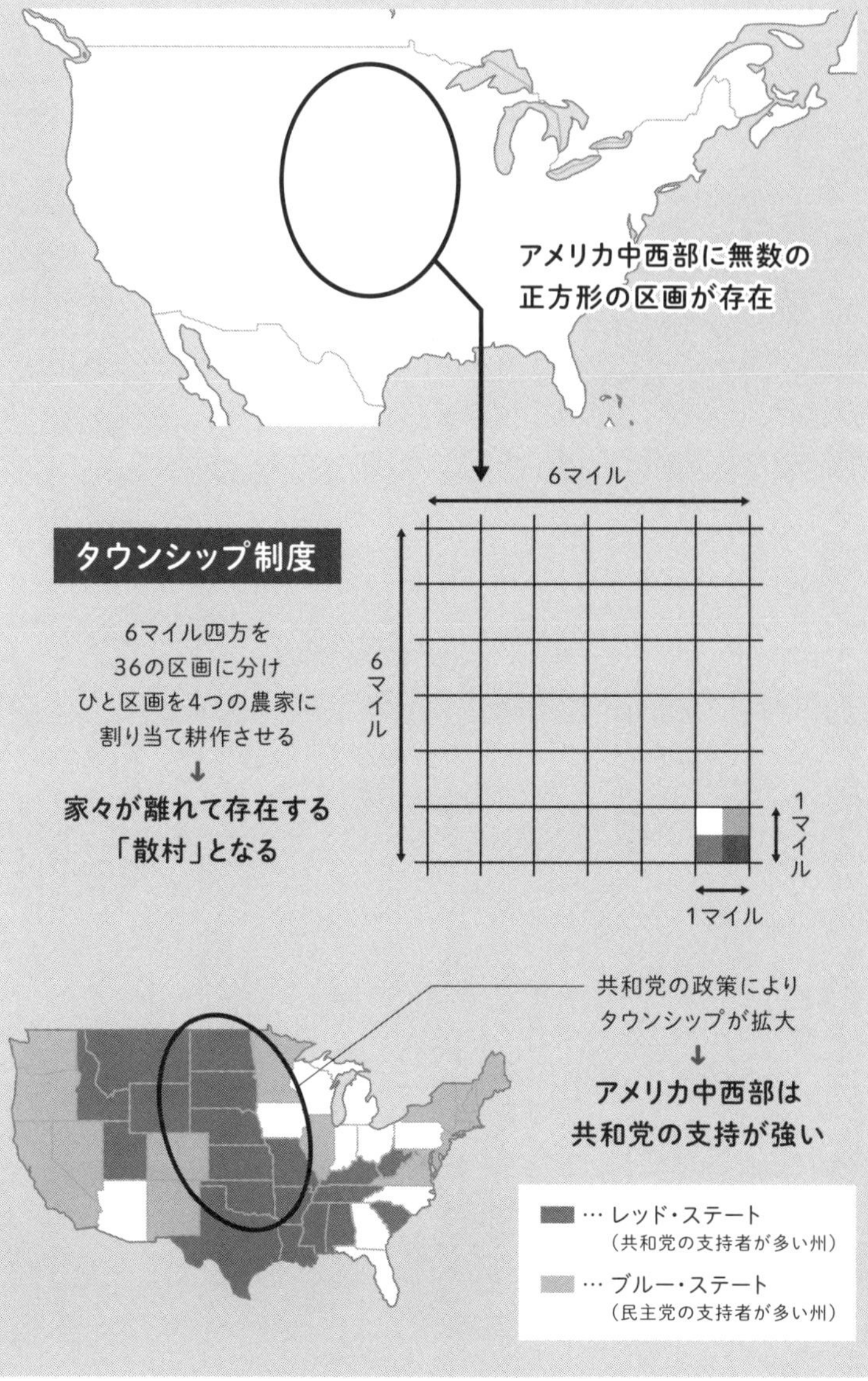

アメリカ中西部に無数の
正方形の区画が存在
6マイル
6マイル
1マイル
1マイル
タウンシップ制度
6マイル四方を
36の区画に分け
ひと区画を4つの農家に
割り当て耕作させる
↓
家々が離れて存在する
「散村」となる
共和党の政策により
タウンシップが拡大
↓
アメリカ中西部は
共和党の支持が強い
…レッド・ステート
(共和党の支持者が多い州)
…ブルー・ステート
(民主党の支持者が多い州)

Number

25

近現代

なぜ、アルゼンチンは経済大国から〝短期間〟で転落してしまったのか？

世界史用語

第一次世界大戦

地理用語

温暖湿潤気候　ステップ気候　パンパ　端境期　バルクキャリア　冷凍船　パナマ運河

経済大国から凋落した特殊な国家

「経済大国」といえば、日本やアメリカ合衆国、中華人民共和国を思い浮かべる人が多いのではないでしょうか。

他に、ドイツやフランスなど、ＥＵの中で大きな経済力を持つ国を挙げる人もいるかもしれません。インドやブラジルなども、大きな経済力を持っています。

しかし、経済大国として「アルゼンチン」を挙げる人はほとんどいないでしょう。どちらかというと、アルゼンチンは経済破綻が頻発する発展途上国、という印象がある人のほうが多いはずです。

じつは20世紀の初頭、**アルゼンチンは、世界で5本の指に入るほどの経済力を持って**

いる国といわれていました。帝国主義をけん引していたヨーロッパの列強であるフランスやドイツに匹敵する経済水準だったのです。

アルゼンチンの現在の位置はGDPで世界第23位、一人あたりのGDPは世界第65位となっており、「経済大国からすべり落ちた国」などといわれることもあります。

世界有数の経済大国が、わずか百年ほどでその地位を失ったという前例は、現在の経済大国もその地位を失う可能性があるということを示唆しています。

なぜ、世界で5本の指に入る経済大国だったアルゼンチンは、転落してしまったのでしょうか？

穀物生産と畜産に強みを発揮するアルゼンチンの気候

アルゼンチンの経済を支えているのは、農業です。

現在でも、小麦の生産量は世界で第12位、小麦を含めた穀物の生産量は世界第6位、牛肉の生産量は世界第5位です。

アルゼンチンの国土の主要部の気候は**温暖湿潤気候**、または降水量がやや多めの**ステップ気候**です。これらの気候帯には、「**パンパ**」と呼ばれる広大な草原が広がっています。**草原が広がり、ある程度の降水が確保できることから、穀物生産や畜産に最適な**

環境にあるのです。

さらに、アルゼンチンの農業の強みは、アルゼンチンが南半球にあることです。南半球は北半球と季節が逆転するために、北半球で作物がとれない「**端境期**」に出荷することができるのです。

アルゼンチンの経済を躍進させた船の改良

さらに、19世紀にアルゼンチンの農業を後押しする、2つの船が登場しました。

それが、バルクキャリアと冷凍船です。

バルクキャリアとは、「ばら積みの貨物船」のことです。穀物や鉱石を梱包せずに、船倉にそのまま「ばら積み」して運ぶ船です。それまでは穀物や鉱石は樽や袋などに詰めて船に運び込んでいましたが、1852年に誕生したバルクキャリアは、梱包せずに穀物を船倉に効率よくどんどん流し入れ、そのまま海を渡ることができるのです。

冷凍船は1870年代にフランスで発明され、1880年にイギリスで実用化されました。それまでの南半球の畜産業にとって、決定的に不利なことは、輸出の際に赤道を越えなければならないということです。高温・多湿の赤道直下を、時間をかけて船で運ぶと、肉が腐ってしまうことが想像できます。冷凍船ができるまでは肉の消費が多い北半球の国々に輸出しようにも、塩漬け肉や干し肉という形でしか輸出ができなかったのです。

農業に適した気候と、造船技術の進歩によって、アルゼンチンの農業は躍進しました。アルゼンチンにはヨーロッパやアメリカ合衆国からの投資が集中し、急速な経済発展が見られました。首都ブエノスアイレスは「南米のパリ」といわれる美しい街に成長し、アルゼンチンを目指す移民も数多くいました。

戦争とパナマ運河で経済発展が停滞した

ところが、アルゼンチンの経済はここから混迷の時代に入ってしまいます。

その転換期となったのが、１９１４年です。この年は、**第一次世界大戦**が勃発した年でもあり、**パナマ運河**が開通した年でもあります。

第一次世界大戦の勃発によって、ヨーロッパ諸国からの投資が途絶えてしまったことや、パナマ運河の完成でアメリカの西部とヨーロッパの航路が大幅に短縮されたことなどで、農作物の輸出に依存していたアルゼンチン経済は大きな打撃を受けたのです。

この後の世界恐慌の影響は大きくありませんでしたが、経済の停滞は進みました。

第二次世界大戦後も続いた停滞と経済破綻

第二次大戦後もアルゼンチンの経済は引き続き低迷します。

戦後、大統領になったペロンを中心とした政権は、社会主義的な政策をとり、国家主導の工業化を推進しました。これによって、工業生産が高まったのですが、ペロンが力を失うと政情が不安定になってしまいます。

１９６０年代後半から政権を握った大統領たちが**貿易自由化政策に転換し始めると、アジアを中心とする海外の工業製品が一気に流れ込み、価格競争力の小さかったアルゼンチン工業は打撃を受けました**。

そして工業の不振とともに進行したのが、インフレです。赤字を埋めるのに通貨の発行を増やしたことや、自国通貨の不信により人々がアメリカドルを所有しようとして、さらに自国通貨の信用が低下してしまったことなど、多くの要素が加わり、極端にバランスが悪い経済となっているのです。特に１９８０年代は年平均で１５０％に達するインフレが続き、数年に一度は経済破綻のニュースを聞くことになりました。

経済環境の変化と、経済政策の失敗が長引く混迷を招いてしまったのです。

20世紀初頭の「経済大国」アルゼンチン

2つの船の登場で経済が躍進したアルゼンチン

- 穀物栽培・牧畜に適した草原地帯（パンパ）が広がる
- バルクキャリア（ばら積み貨物船）と冷凍船の登場で輸出が拡大
- 北半球の端境期に出荷できる

　➜ **第一次世界大戦とパナマ運河の開通によって打撃。
　その後の混乱により経済は衰退**

Number

26

近現代

なぜ、中南米に「インド系住民の国」が多いのか？

世界史用語

奴隷制度廃止法

地理用語

トリニダード=トバゴ
印僑　エネルギー革命

カリブ海の島国の名物料理がなんと「カレー」

教員をしていると、様々な国籍のＡＬＴ（外国語指導助手）の先生と接することができます。

おもに英語の授業で会話の補助をする先生なのですが、職員室で話をすると、アメリカやカナダ、ニュージーランドやフィリピン、シンガポールなど、いろいろな国の文化を学ぶことができます。

その中で、私が以前勤務していた学校に、カリブ海の島国、**トリニダード=トバゴ**からやってきた先生がいました。その先生に、「トリニダード=トバゴの代表的な料理は何ですか？」と聞くと、なんと、「カレーが有名」だというのです。「カリブ海の島国なのに、カレー？」と驚き、その理由を聞くと、トリニダード＝トバゴの住民はインド系が4割を占めており、カレーは一般的な食べ物だというのです。

インドとトリニダード＝トバゴがつながるきっかけ

インドとトリニダード＝トバゴは地球の真裏といってよいほど遠く離れています。

なぜ、インド系の人々がトリニダード＝トバゴに多くいるのでしょうか？

両国の共通点は、どちらもかつてイギリスの植民地だったことです。そして、両国をつなぐきっかけになったのが、イギリスの奴隷政策の転換だったのです。

奴隷の代わりに集められたインド系労働者

近世以降、イギリスはトリニダード＝トバゴやジャマイカなど、カリブ海の多くの島々を植民地にしていました。

そして、それらの植民地でサトウキビやタバコのプランテーションを開発していたイギリスは、多くの労働力を必要としていました。

はじめ、カリブ海での主要な労働力はアフリカ系の奴隷でした。

しかし、18世紀後半に入ると、イギリスでは奴隷反対運動が高まり、砂糖の不買運動が起こります。

その結果、1807年に奴隷貿易禁止法が制定され、1833年に**奴隷制度廃止法**が制定されました。この法はイギリス植民地の全域に及び、奴隷所有者に奴隷を手放させる代わりにお金を支給するという内容です（この時代、アメリカなどその他の国ではまだ奴隷制は存続しています）。

しかし、奴隷を手放した植民地の農園主にしてみれば、奴隷を解放しても、その後の農場経営のための労働力を確保しなければなりません。

そこで、奴隷に代わる安価な労働力が必要となった農場主たちが「出稼ぎ労働者」として募集したのが、インドの人々です。

このとき、カリブ海諸国の中で特に多くのインド系の労働者がやってきたのが、開発の余地が大きく、大規模に募集をしていたトリニダード＝トバゴだったのです。

出稼ぎの後も残ったインド系住民

この「出稼ぎ枠」である年季労働者の制度は、労働者を5年の期限で雇い入れ、期限が終わると、帰国の費用も農場主が負担しなければならないという制度でした。

ところが、雇い入れ期限が終わっても、土地を労働者に分けて住まわせ、小作人として収穫物を受け取るというケースが次第に増加しました。

農場主にとっては、多額の帰国費用を使ってインドに帰すよりは、土地を与えて「小作人」として労働力を長期にわたって提供してもらったほうがよい、と考えたのです。

こうして、多くのインド系労働者がトリニダード＝トバゴに定住することになりました。

世界中に存在する「印僑」のコミュニティ

労働力としてインドの人々が雇われた例は、トリニダード＝トバゴに限らず、マレーシアやシンガポール、南アフリカ、ケニアなど、世界中のイギリス領で見られました。

その結果、世界各地でインド系の人々のコミュニティができました。こうした人々のことを「**印僑**」といいます。

第二次世界大戦後には、経済復興が進む地域の労働力として、おもに先進国でインド系労働者が雇用されました。

そして、石炭から石油へとエネルギーの中心が移り変わる**エネルギー革命**の時期には、中東の産油国へ多くのインド系労働者が渡りました。現在ではインドが得意とするＩＴ分野の人材としての雇用が進んでいます。

こうした移民の拡大の中で、経済的にも、政治的にも強い力をつけたインド系の人々

世界中に広がる「印僑」コミュニティ

インド系移民の拡大

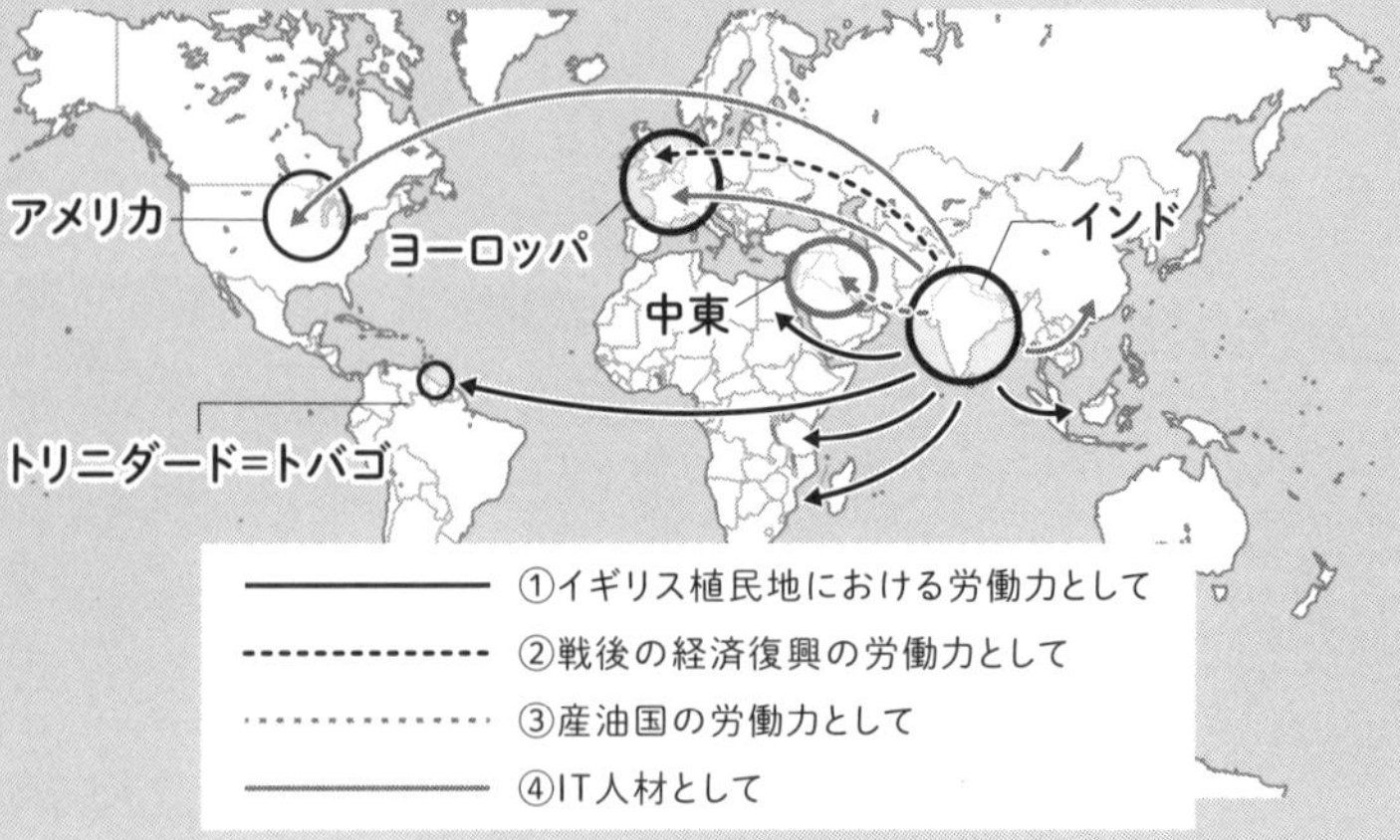

は少なくありません。

インド本国の経済成長と合わせて、インド系の人々の影響力はこれからも拡大していくことでしょう。スナク首相がイギリス初のインド系の首相となったことは、その象徴的な出来事のひとつとして挙げられます。

Number
27
近現代

じつは、ジャガイモ飢饉のおかげ？「ケネディ大統領誕生」の意外な背景

世界史用語
ジョン＝F＝ケネディ　キューバ危機　アポロ計画　大陸横断鉄道

地理用語
移民

アポロ計画を推進した若き大統領

ワシントンやリンカンなどの偉人、そして近年のオバマ、トランプ、バイデンなどに並ぶ、知名度の高いアメリカの大統領として、第35代大統領の**ジョン＝F＝ケネディ**がいます。

キューバ危機を乗り切り、**アポロ計画**を推進した若き大統領として知られ、凶弾に倒れた暗殺のシーンは、今でもしばしば歴史的場面としてテレビに取り上げられます。

ケネディは、アメリカ史上最年少で当選した大統領であり、プロテスタントの比率が高いアメリカにあって、初のカトリックの大統領としても知られます。

アイルランドの食を支えていたジャガイモ

じつは、**ケネディ大統領が誕生した背景には、野菜の「ジャガイモ」が大いにかかわっています。**

ケネディの先祖をさかのぼると、ケネディの曽祖父が、アイルランドからアメリカに渡ってきたことがわかります。

ケネディの曽祖父、パトリック＝ケネディがアイルランドにいた頃、19世紀前半のアイルランドはイギリスの強い支配を受けていた時代でした。貧しいアイルランドの農民はイギリス本国の地主に支配されており、穀物はほとんどイギリスの地主に納めなければなりませんでした。実りの多い土地にはイギリス向けの穀物が優先的に栽培され、アイルランドの人々にはやせた土地しか割り当てられませんでした。そこで、アイルランドの人々が、自分が食べる自給用の作物として栽培したのが、ジャガイモです。

ジャガイモは熱帯を除く世界中のほとんどで栽培でき、やせた土地でも栽培できる割には、でんぷんの含有量が多いので、貧しい人々にとってはありがたい作物でした。**ゴッホが描いた「ジャガイモを食べる人々」に代表されるように、ジャガイモは貧しい人々の定番の作物と考えられていたのです。**

突如襲いかかってきたジャガイモの疫病

アイルランドのジャガイモはその力を発揮し、十分にアイルランドの農民を養いました。イギリスの支配を受けながらも、アイルランドの人口は18世紀前半の３００万人から、19世紀前半の約８００万人まで順調に増加しました。

ところが、**１８４５年に突如、ジャガイモに疫病が流行し、「ジャガイモ飢饉」といわれる大飢饉がアイルランドを襲ったのです。**病原菌が引き起こすジャガイモの不作は、ジャガイモの原産地である中南米ではしばしば発生していましたが、19世紀前半に北アメリカ大陸やヨーロッパに伝わり、広がったのです。

アイルランドはジャガイモ依存が強かったため、特にこの疫病の影響が大きかった地域でした。１８４５年から１８４９年までに、ジャガイモの収穫量は大きく落ち込み、１００万人以上が飢えで亡くなったといわれます。１８４７年は、トウモロコシは豊作だったものの、トウモロコシはイギリスの地主のものとなり、アイルランドの人々は口にできなかったため、ある意味「人災」の飢饉だったといえます。大飢饉によるアイルランドの人口減少は３００万人に及んだといいます。

アイルランドを逃れてアメリカに渡ったケネディの先祖

この**大飢饉によるアイルランドの人口減少には、餓死者の他にも、アメリカへの移民という形もありました。**大飢饉の期間で75万人、その後の10年間でさらに130万人がアイルランドを脱出して、アメリカに向かったのです。その中の一人が、ケネディの曽祖父、パトリック＝ケネディでした。

当時、アイルランドからの移民は、アメリカに上陸してもその平均余命は5～6年といわれていました。もともと、栄養状態のよくないところから移民してきたため（アメリカ行きの船も「棺桶船」といわれるほどの死者が出ました）、体が弱いうえに、移民の中でも新参者であるアイルランド移民には、低賃金・長時間の過酷な労働が待っていました。当時、進行中であった**大陸横断鉄道**の建設に多く従事していたアイルランド移民には「大陸横断鉄道のすべての枕木の下にアイルランド移民の骨が埋まっている」という逸話があるほどでした。

また、プロテスタントが主流のアメリカ社会において、カトリック系のアイルランド移民を「よそ者」として見る目も強くありました。

移民の「先輩」として地位が向上した19世紀後半

状況が変わったのは、19世紀後半です。**南北戦争の危機をしのぎ、世界一の工業国となったアメリカの発展により、ポーランド系やイタリア系、スペイン系の移民が働き口を求めてアメリカに押し寄せたのです。**ポーランドやイタリア、スペインはいずれもカトリックの国なので、彼らは同じカトリックのアイルランド系の人々を移民の「先輩」として見るようになります。おのずと、アイルランド系の移民の地位も上がります。

困窮の中から「華麗なる一族」へ

ケネディの祖父、パトリック＝ジョゼフ＝ケネディは、そのようなアイルランド移民の代表格でした。若い頃は困窮し、14歳にして港湾労働者として働きます。給料を貯めてバーを開き、そのバーの経営が当たり、こんどはウィスキー輸入会社を買収します。財をなしたパトリック＝ジョゼフ＝ケネディは政治家に転身し、マサチューセッツ州の議員となります。その子ジョゼフ＝P＝ケネディは有力政治家となり、外交官としても在英国大使として活躍しました。現在では「華麗なる一族」のようにも見られるケネディ家ですが、ジャガイモ暮らしの困窮の中から身を起こした一族だったのです。

ジャガイモ飢饉とアイルランド移民

1867年から
アメリカ領
1869年に開通した
初の大陸横断鉄道
1845～49年の
ジャガイモ飢饉により
大量のアイルランド移民が
アメリカへ

ゴッホ作「ジャガイモを食べる人々」(1885年)

ジャガイモは19世紀の貧しい人々にとって「定番」の作物だった

第3章

中国・インド・東南アジア

Number

28

古代

なぜ、中国の王朝は「東西」ではなく「南北」に分断されるのか？

世界史用語

南北朝時代　五代十国時代　金　南宋

地理用語

降水量　稲　小麦　食文化

中国史上何度も出現した南北の分裂時代

中国の歴史を見ると、南北に分断された時代が多いことがわかります。代表的なものとして、４３９年から５８９年までの「**南北朝時代**」や、９０７年から９６０年までの「**五代十国時代**」、12世紀から13世紀にかけての「**金**」と「**南宋**」の時代などがあります。

一方で、中国が東西の大国に分かれることはほとんどありません。長い年月を抱える中国の歴史の中で、東西にスパッと分かれる時代があってもよいはずですが、分かれるのは決まって南北なのです。

なぜ、中国はいつも東西ではなく南北に分かれるのでしょうか？

中国を南北に分ける気候的な理由

この疑問を解くカギになるのは、気候です。中国の**降水量**の分布を見ると、北は雨が少なく、南は雨が多いという特徴があります。**おおむね、降水量が1000㎜の場所をたどる線を引くと、東は淮河《わいが》という川、西は秦嶺《しんれい》山脈といわれる山脈の上を通ります**（これを秦嶺・淮河線といいます）。

降水量1000㎜というのは、大きな文化的な差異をその南北にもたらすのです。なぜかというと、この線が稲の生育ができるかできないか、という分かれ目になる線だからです。 **稲**は温暖な気候と、多くの降水量を必要とします。一方、**小麦**は冷涼な気候と、比較的乾燥した気候で生育します。中国を旅すると、秦嶺・淮河線の南では米の料理が多く、北では麺や饅頭の料理が多いのはこのためです。

方言の違いも南北に分かれる

また、秦嶺・淮河線の北と南では、イントネーションや発音が異なり、言葉のうえでも違いが表れます。長江の南になると、北部との言語の違いがより顕著になり、いわゆる「北京語」「上海語」というような分類になります。

こうした気候や**食文化**、言語文化の違いは、中国の北部と南部の人々に別々のアイデンティティをもたらしています。北の人と南の人では気質も違う、という人も多くいます。

軍事的にも生じる南北の差異

さらに、交通や軍事の面でも、違いが出てきます。

「南船北馬」という言葉があるように、中国北部では移動や軍隊の構成で馬が重視され、中国南部では船が重視されるのです。馬はもともと、寒冷地で生まれた動物であり、半乾燥の草原の草を食べて育ちます。中国の南の国家が、北を征服しようとした場合、大規模な騎馬軍団を整備しなければ、北の軍隊に勝つことはできません。

逆に、降水量が多い南は河川が多く、川幅が広いため、船での交通が盛んです。川は天然の防衛線になるため、北の国家が南を攻めるときには、多くの船が必要になります。

こうした違いを乗り越えたからこそ、中国を初めて統一した始皇帝の業績には大きな価値があるのです。

「秦嶺・淮河線」と中国の南北の分裂期

降水量と「秦嶺・淮河線」の関係

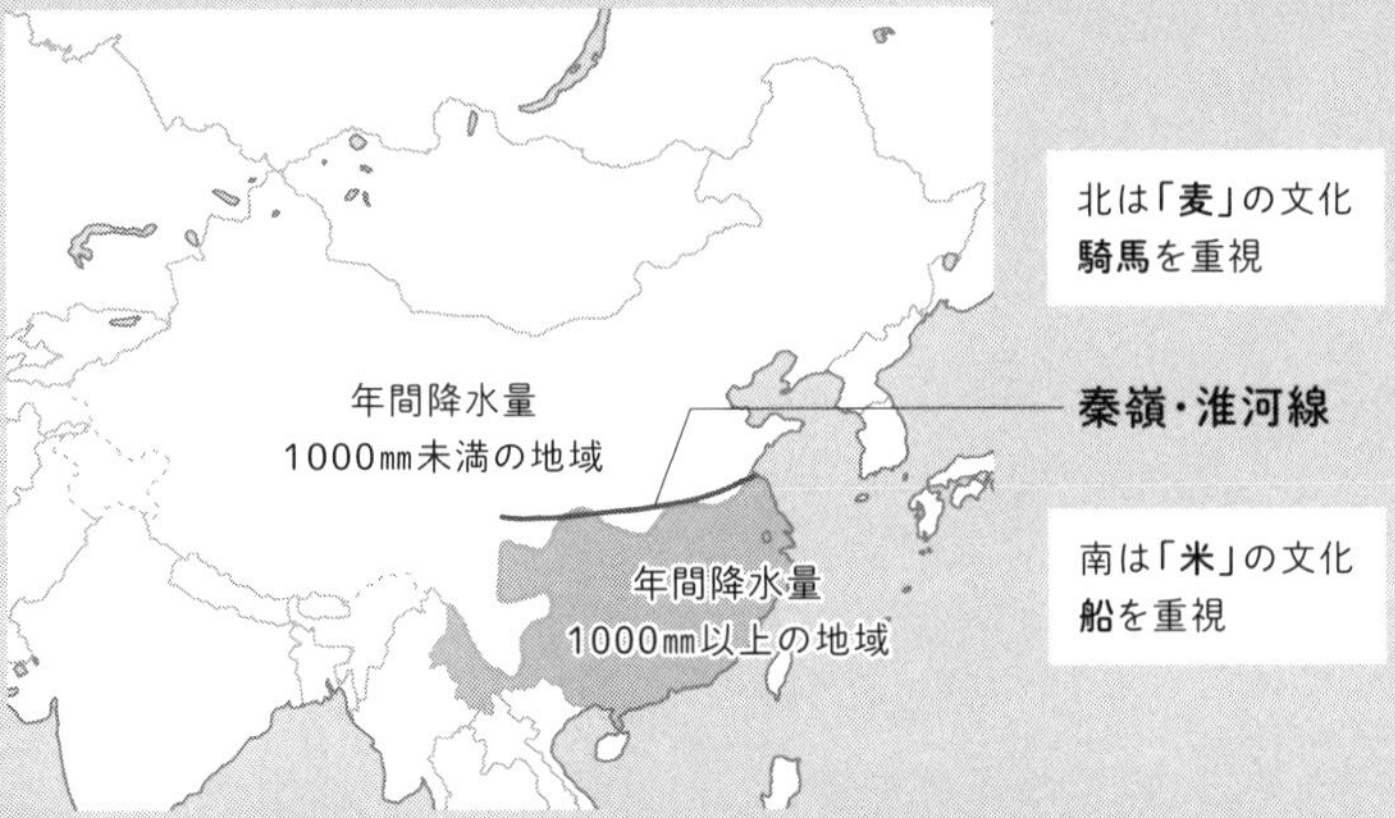

秦嶺・淮河線を境に南北に分かれる例が多い

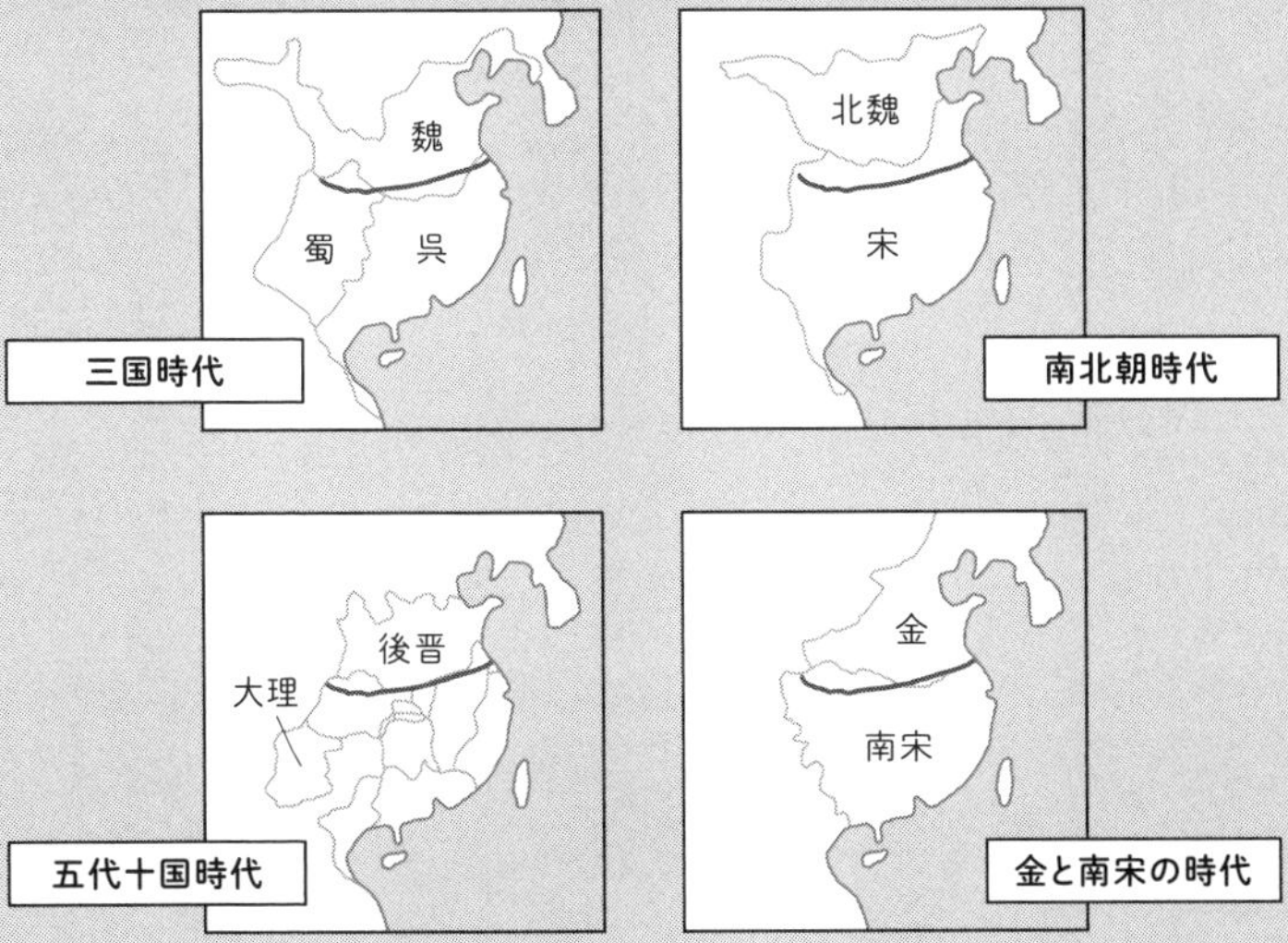

Number

29

中世

宋王朝の「エネルギー革命」が生み出した「現在の中国料理」

世界史用語

宋王朝　青磁

地理用語

石炭　エネルギー革命　コークス

中国料理の火力が上がった宋の時代

一般的に、世界三大料理といえば、フランス料理、トルコ料理、そして中国料理を指します。

じつは、中国料理がおいしくなった時代は、歴史に求めることができます。

それは、宋の時代です。

中国料理の味の決め手は、なんといっても強い火力です。強い火力で一気に火を通すような料理は、一般の家庭ではなかなか真似することができません。

中国では、おおむね11世紀から13世紀の宋王朝の時代に、料理をつくる火力が上がったことがわかっています。

宋王朝で起こった中国のエネルギー革命

宋の時代、**石炭**の利用が広がるという、いわば「**エネルギー革命**」が起きました。
石炭といえば、産業革命や蒸気機関とセットで語られることが多いため、近代の燃料かと思えば、意外にも古代から燃料として用いられており、紀元前から使われた例もあります。

ただ、古代において、石炭の使用は一般的ではありませんでした。採掘に技術と手間がかかる石炭よりも、木を焼いた木炭のほうが容易に入手できたからです。

しかし、唐の時代にさしかかると、少しずつ石炭の利用が増えてきます。唐の最盛期あたりに人口が増加し、もともと森林資源が豊富でなかった中国北部では、燃料不足を補うために石炭を利用するようになったのです。

そのうえ、中国北部では多くの人口を養うために森林を伐採して耕地にしたため砂漠化が進み、土地の保水力がなくなって干ばつや洪水などが頻発する大混乱時代となり、さらに森林破壊が進んだといいます。

このような背景から、唐の末期から宋にかけて石炭の利用が進んだのです。

都市の経済が特に発展した宋の時代、商店の営業時間の制限がなくなり、夜遅くまで

酒場や食堂が営業されました。多くの人々が飲食店を利用することで、石炭による調理も発展していったことでしょう。

世界有数の石炭産地である中国北部

石炭の利用が進んだのは、森林資源の枯渇に加え、中国北部が石炭の産地であり、容易に手に入れることができたという理由もあります。特に、北京の西に位置する山西省は中国の中でも有数の石炭の産地です。

現在、**中国は、世界の半分以上の石炭を産出しています。その4分の1以上は、この山西省で採れた石炭です。ということは、現在の世界における8分の1以上の石炭の産出量を山西省ひとつでまかなっているのです。**

この他にも、その西隣の陝西省や、北京の南東にある山東省でも石炭がよく採れ、合わせると世界の約4分の1近くの石炭を3省でまかなっていることになります。

こうした石炭の産地に近い現在の陝西省にあたる耀州《ようしゅう》では、盛んに陶磁器が生産されました。宋の時代に石炭が燃料として使われるようになると、独特なオリーブグリーンの光沢を発する**青磁**が生産されるようになり、北宋の陶磁器の中でも人気が高いもののひとつになっています。

南宋の時代にできた「中国料理」の基礎

こうして、中国の北部で石炭の利用が普及し、北宋の時代になると、中国の南部でも石炭の利用が次第に一般的になります。

この過程において、石炭を蒸し焼きにして不純物を取り除き、安定した高温が得られる**コークス**の使用が進みました。

こうして**高火力のコークスと、中国の南の豊富な食材が出会い、南宋の時代に、いわゆる「中国料理」のスタイルになったのです**（手に入る食材や嗜好の違いなどによって、北京料理や広東料理、四川料理など細かい分類に分かれますが、総じて強い火力を使う、というのは中国料理の共通点です）。

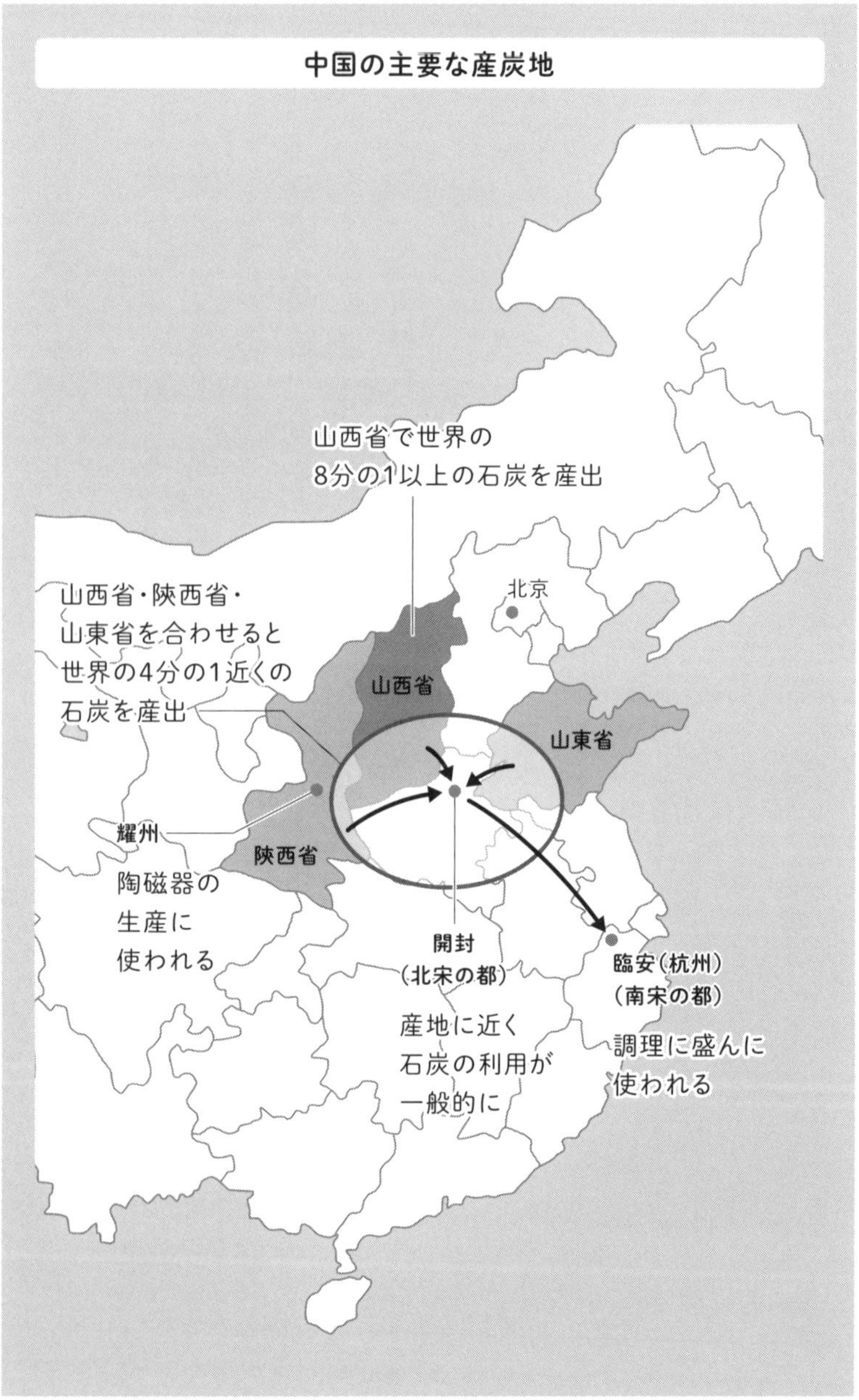
中国の主要な産炭地
山西省で世界の
8分の1以上の石炭を産出
山西省・陝西省・
山東省を合わせると
世界の4分の1近くの
石炭を産出
北京
山西省
山東省
耀州
陝西省
陶磁器の
生産に
使われる
開封
（北宋の都）
産地に近く
石炭の利用が
一般的に
臨安（杭州）
（南宋の都）
調理に盛んに
使われる

Number
30
近現代

なぜ、大英帝国は「インドの支配」にこだわったのか？

世界史用語
インド帝国　アフリカ縦断政策

地理用語
温暖冬季少雨気候(Cw気候)　季節風　サバナ気候

世界遺産に指定されているミニ鉄道

インドの世界遺産のひとつに「ダージリンヒマラヤ鉄道」という鉄道があります。線路の幅が60cm程度しかなく、小さな電車が2000mを超える高低差を登る山岳鉄道で、最高時速も10kmほどで、一生懸命に山を登っている、という感じがほほえましく思える鉄道です。この鉄道の建設が始まったのは、イギリスがインドの直接支配に乗り出した、「**インド帝国**」成立の2年後なので、この鉄道がイギリスの植民地政策的に重要な位置づけをされていたことがわかります。

それが、ダージリンで生産される茶を運ぶための鉄道ということです。それだけ、茶がイギリスでは非常に需要がある生産物であり、インドの農園主はイギリス本国に茶を運ぶだけでも、相当な利益が出たのです。また、ダージリン地方の高原は避暑地としても利用され、インドの酷暑を避けるために多くのイギリス人が利用しました。

「紅茶のシャンパン」をはぐくむ気候条件とは

ダージリン産の紅茶は「紅茶のシャンパン」といわれる香りのよい紅茶で、ダージリンを含むインドの東北部は、茶の一大生産地として知られています。

では、なぜ、この地が有数の茶の産地なのでしょうか？

それは、茶の生育に適した自然環境だからです。茶の生育は温暖な気候と、多めの降水が必要になります。年間の平均気温がおおむね15度以上、冬季はマイナス5度以上、夏は平均40度を超えず、年間の降水量が１５００㎜は必要です。

この条件は、茶の栽培の最低条件なので、茶の最適条件のハードルはさらに上がります。降水量はもっと多めがよく、年間で２２００㎜から２３００㎜はあったほうがよいとされます。温暖湿潤気候に位置する東京は、世界の中では雨が多いほうの都市ですが、東京の年間降水量は１６００㎜程度なので、さらに降水があったほうがよいのです。しかも、お茶は木の葉っぱを味わう飲み物なので、年間を通して雨が多ければよい、というわけでなく、いよいよ葉が茂るぞ、という初夏から夏場にかけて雨が多くなるような

気候がよい、ということになります。また、味わい深いお茶にするためには、それなりに冷涼で、乾燥する時期もあったほうがいいという性質もあります。

茶の栽培に適した温暖冬季少雨気候

こうした「比較的温暖で、夏に集中して雨が降り、冷涼、乾燥する時期もある」という、メリハリのよい、茶の栽培向きの気候が、「**温暖冬季少雨気候（Ｃｗ気候）**」です。福建省など中国の中南部や、インドの東北部など、有名なお茶の産地の大部分は、この温暖冬季少雨気候にあたります。この気候をもたらすおもな要因は、**季節風**です。大陸は「熱しやすく冷めやすい」、海洋は「熱しにくく冷めにくい」という特徴があるため、夏は大陸の空気が熱せられて、上昇気流が発生します。その空気を補うように、海洋から湿った風を吸い寄せるのです。

夏の海から陸へ吹く湿った季節風が、陸地や山地にぶつかると、上昇気流が発生して大量の雨を降らせます。一方、陸から海へ吹く冬の季節風は、大陸からの乾いた風が下降気流となって海へ吹き下ろすので、雨は降りません。かくして、夏の季節風がぶつかる、ヒマラヤ山脈の山すそに位置するダージリン地方は、**温暖であって、夏と冬に大きな降水量の差が生じ、「夏には多くの雨、冬には乾燥」という茶の栽培に適した特徴を**

持つ気候になるのです。

ケニアが世界有数のお茶の産地である理由

季節風という理由以外に、温暖冬季少雨気候の地域を他に探してみると、東アフリカのエチオピアからケニア、タンザニア付近にも分布しています。

これらの地域はいずれもアフリカの赤道付近に位置しているのですが、アフリカの赤道付近といえば、暑い地域というイメージがあります。しかし、これら東アフリカの地域は**高原に位置しているため、気温が低く抑えられ、周辺の熱帯の「サバナ気候」の特徴である「夏に雨が多く、冬には雨が少ない」という特徴を持ちながら気温的には温帯にまで下がり、見た目の温暖冬季少雨気候を示すのです。**

ケニアは「お茶」という印象があまりない方も多いと思いますが、現在でも中国、インドに次ぐ世界第3位の生産国であり、植民地時代はイギリスにとって重要なお茶の産地でした。イギリスはエジプトと南アフリカを起点とする「**アフリカ縦断政策**」という植民地拡張政策の中で、1885年にケニアを支配し、茶の栽培を開始したのです。

統計を見ても、**お茶の産地には旧イギリス植民地が多く、イギリスが多くの茶を求めたという歴史がわかります。**

ダージリン地方と季節風

ダージリン地方

季節風がヒマラヤ山脈に
ぶつかり夏に雨が多く、
冬に雨が少ない
温暖冬季少雨気候となる

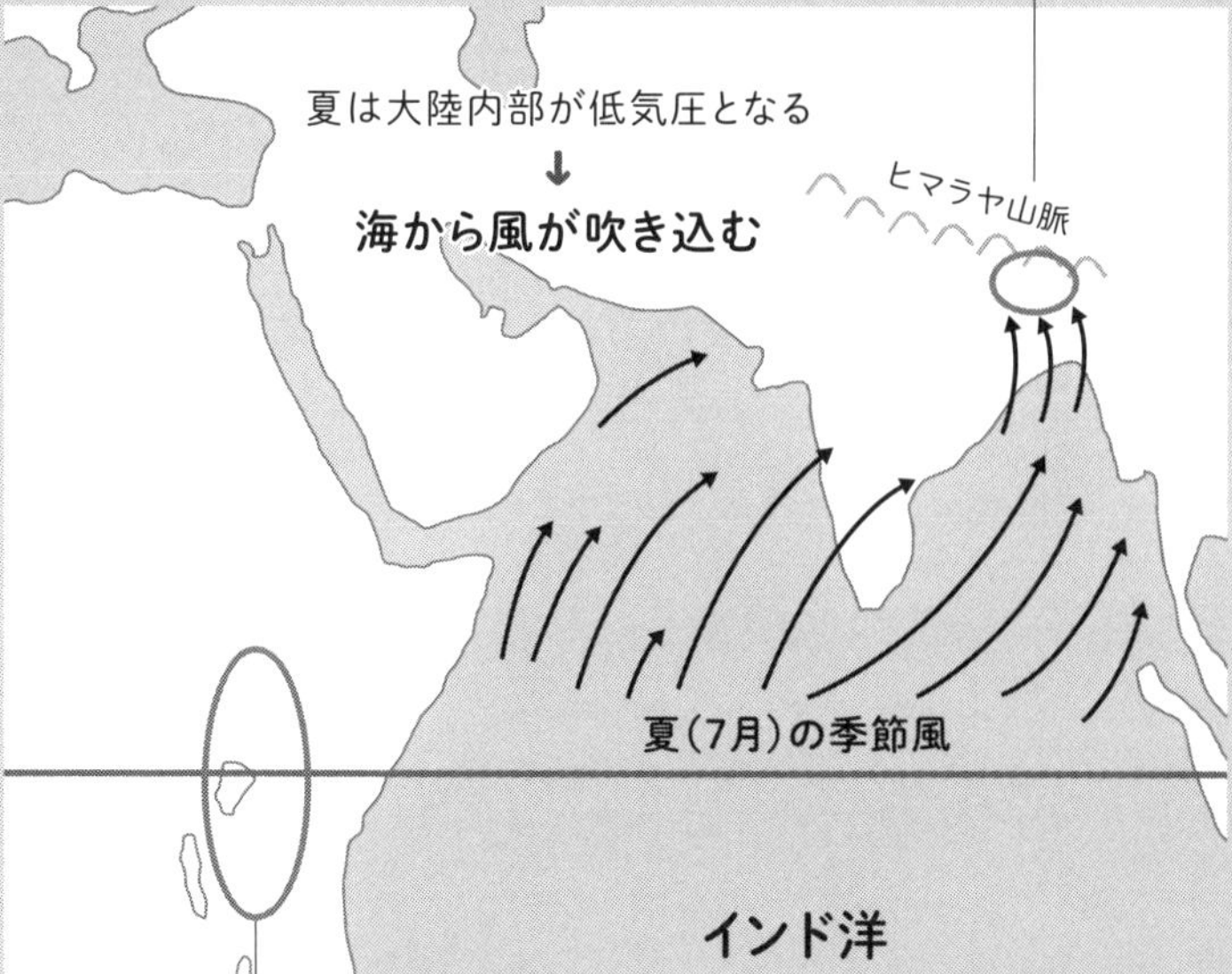

位置的には赤道付近の熱帯だが、
高原のためにサバナ気候ではなく
温暖冬季少雨気候となる
↓
茶の産出が多い

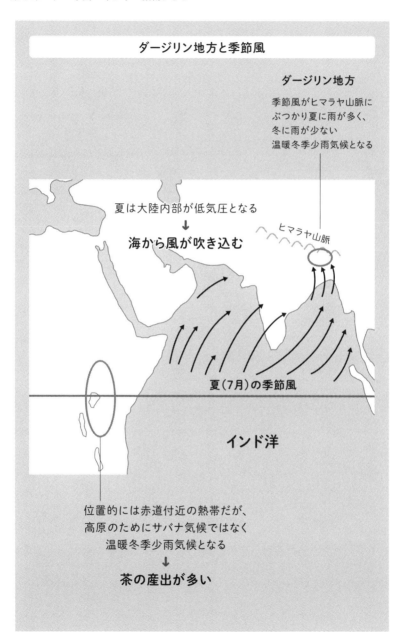

Number

31

近現代

インドの「カシミール地方」が、なぜ世界的な大問題に発展してしまったのか？

世界史用語

藩王　インド・パキスタン戦争　ダライ=ラマ14世

地理用語

国境問題　カシミール地方

地図に「白抜き」で描かれる帰属未決定の地

世界の民族・**国境問題**の中でも、インドとパキスタンが**カシミール地方**の領有権をめぐって対立している問題は、世界の中でも解決が遠い、世界の「宿題」になっています。日本で手に入るほとんどの地図では、インドの北部のこの地域の国境線が点線になっていたり、領域が白く抜かれたりして、この地の帰属が未決定であることを示しています。また、中国もこのカシミール地方の一部の領有権を主張しています。さらに、インド、パキスタン、中国、と対立する当事国同士がいずれも核兵器保有国であることも問題を大きくしています。このように大規模な帰属未決定地は他にはありません。

カシミールは「世界の屋根」の一角であるカラコルム山脈を擁する、美しい景観が魅力的な地域ですが、なぜこの地域で国境紛争が起きているのでしょうか。

インド独立時の「お殿様」たちの動向

インドは、第二次世界大戦後にイギリスから独立しました。

その**イギリスからの独立の際、ヒンドゥー教徒の多いインドと、イスラーム教徒が多いパキスタンに分離独立することになったのです。**

インドの独特なところは、各地に「**藩王**」、いわゆるマハラジャたちがおり、地域の「お殿様」として影響力を行使していた地域が存在していたことです。イギリスはインドを支配する中で、これらの藩王に忠誠を誓わせる一方で藩王国の統治を任せ、その領内を間接的に統治していました。そして、インドとパキスタンがイギリスから独立する際、イギリスはこれらの藩王国に対し、距離的にインドに近い藩王国はインドに、パキスタンに近い藩王国はパキスタンに帰属するように勧めたのです。

おおむね、藩王たちはイギリスの勧めに従いましたが、宗教的な理由から、３つの藩王国が反する動きをしました。

１つ目のインド中南部のハイデラバードは、住民も藩王もイスラーム教徒でした。藩王は独立を希望しましたが、独立後のインドが経済封鎖を行い、軍隊を派遣してインドに組み込みました。現在もハイデラバードはインドの中でもイスラーム教徒の割合が多い地域です。2つ目のインド西部のジュナーガドの藩王国は、住民はヒンドゥー教徒でしたが、藩王はイスラーム教徒でした。藩王はパキスタンへの帰属を求めますが、インド軍はジュナーガドを占領し、藩王はパキスタンに逃げました。もともとヒンドゥー教徒が多かった住民はインドの支配を受け入れたため、インドに組み込まれました。

「住民はイスラーム、藩王はヒンドゥー」だったカシミール

3つ目のインド北部のカシミールは、住民にイスラーム教徒が多く、藩王がヒンドゥー教徒という地域でした。この地に対してパキスタンが領有宣言をすると、藩王はインドへの帰属を宣言します。このことからインドとパキスタンが対立し、**インド・パキスタン戦争**に発展したのです。**住民はパキスタン寄りのイスラーム教徒、藩王はインド寄りのヒンドゥー教徒という、ボタンの掛け違いのような構造が、インドとパキスタンの両国の対立を生み**、以来、カシミールをめぐる争いが現在まで続いているのです。

中国が加わり、さらに状況が難しくなった

1962年、さらにこの問題を難しくする状況が加わりました。それが、インドと中

国の紛争です。1951年、中国はチベットを領有しましたが、チベットでは中国に対する抵抗運動が起こりました。1959年にチベットで中国に対する大規模な蜂起が発生すると、中国はチベットに圧力を強め、その中でチベットの指導者**ダライ＝ラマ14世**がインドに亡命したのです。これをインドが受け入れたため、中国とインドの関係が悪化し、武力衝突に発展しました。この紛争の結果、中国はカシミール地方の北東のアクサイチンを実効支配することになりました。現在の世界地図にも中国の実効支配ラインが描かれている場合が多いです。

インドを尻目に接近する中国とパキスタン

現在、それぞれの間には一応の実効支配の境界がありますが、完全に帰属が決まらないまま、現在に至っています。2019年にはインドがパキスタン内のイスラーム過激派に空爆を行うという両国の関係を悪化させる事件が起こり、2020年には中国とインドの間で紛争が起きています。この中で、**パキスタンと中国はお互いにインドと対立しているという共通点から接近し、政治的・経済的なつながりを深めています**。カシミール地方を通過する中国・パキスタン経済回廊といわれる交通網の整備はその象徴で、中国の「一帯一路」政策の中核事業ともいわれています。

カシミール地方とインド・中国・パキスタン

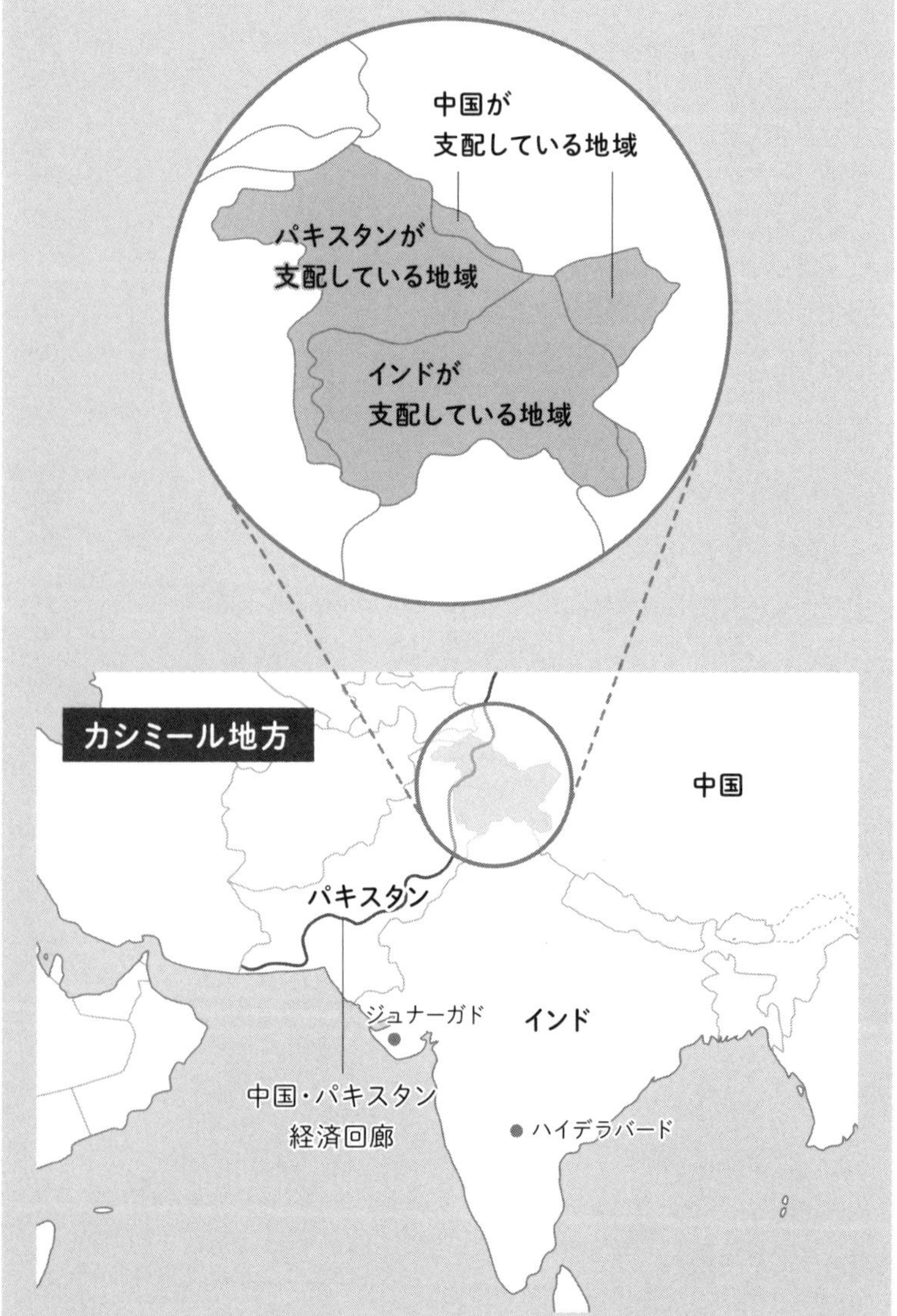

Number

32

近現代

なぜ中国が、遠く離れた「東アフリカ」への投資に力を入れるのか？

世界史用語
イスラーム商人　海の道　永楽帝　鄭和

地理用語
オーストロネシア語族

「フロンティア」として注目が集まる東アフリカ諸国

現在、東アフリカは経済成長が見込めるひとつの「フロンティア」として、世界の投資を集めている地域です。

特に、中国は東アフリカ一帯の地域を「一帯一路」構想の重要な地域と位置づけ、投資を拡大しています。

想像以上に「アジア」なマダガスカル

アジアとアフリカは、遠く離れているように思えますが、じつは**インド洋を中心とする「環インド洋地域」は、古くからイスラーム商人をはじめとする多くの人々が行き来**

する海で、強い結びつきがあります。

その代表例として、アフリカ東部に位置する島国であるマダガスカルが挙げられます。

マダガスカルはアフリカにありながらも、言語は東南アジアと同じ**オーストロネシア語族**に属し、マレーシアのマレー語に似た言語を話します。

また、稲作を行うこと、主食が米であること、水田の光景が広がっていることなど、**マダガスカルは想像以上にアジアに似た島なのです。**

インド洋に影響力を及ぼしてきた中国

この「環インド洋地域」に歴史的に興味を示してきたのが中国です。

唐の時代、「海のシルクロード」と呼ばれた「**海の道**」を経て様々な産物が中国にもたらされてきましたし、宋や元は大型船をインドに就航させていました。

そして、明の時代には**永楽帝**の命により**鄭和**が大艦隊で遠征を行い、その一部はアフリカ東岸にまで達しました。鄭和の艦隊は数十隻、2万人にも及んだ大規模なもので、明王朝がインド洋沿岸に強い影響力を及ぼそうとした意図が見て取れます。

中国初の海外の軍事基地は東アフリカのジブチ

このような歴史を持つ中国なので、「一帯一路」の影響力をアフリカ東岸に及ぼそうとするのも理解できます。

たとえば、**中国が２０１７年に初めて建設した人民解放軍の海外基地は、アフリカ東部のジブチです**。ジブチの基地はけっして大きな基地ではなく、駐留する軍も小規模にすぎませんが、ちょうど紅海の出口にあたり、スエズ運河からアフリカ東部までにらみを利かせることができる要衝です。

さらに中国はこのジブチに、空母や潜水艦が寄港できるような施設を設置しつつあります。

この中国の動きが、インド洋の周辺諸国やアメリカの神経をとがらせる要因になっているのです。

ジブチ港は東アフリカの物産を輸出する港としても機能するため、中国は多額の費用を投資してエチオピアとジブチの間の鉄道の電化を進め、投資の効果を拡大しようとしています。

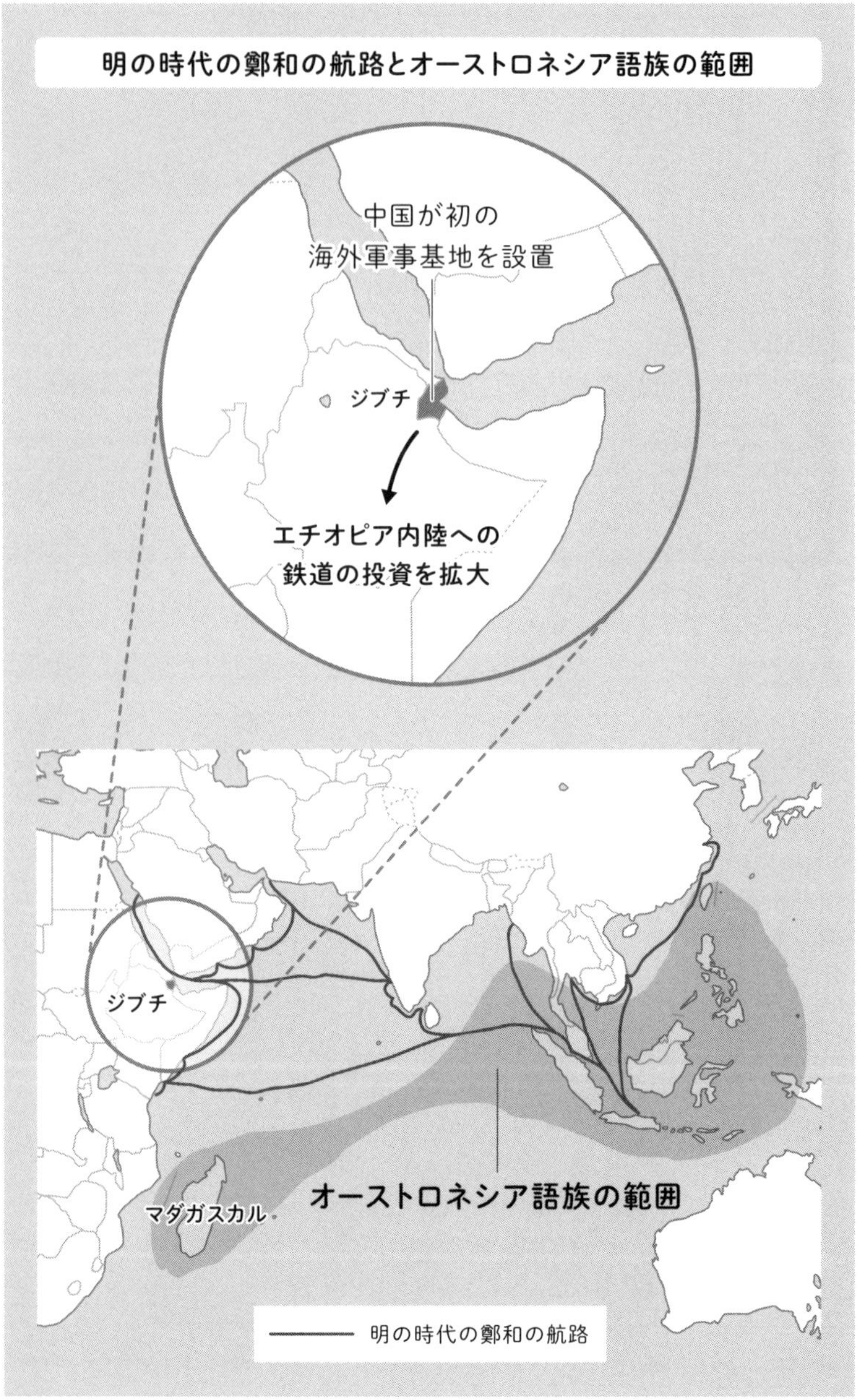
明の時代の鄭和の航路とオーストロネシア語族の範囲
中国が初の
海外軍事基地を設置
ジブチ
エチオピア内陸への
鉄道の投資を拡大
ジブチ
マダガスカル
オーストロネシア語族の範囲
明の時代の鄭和の航路

第4章

アフリカ・西アジア・オセアニア

Number

33

古代

「現代の水利権紛争」ナイル川問題の真相を「世界史」から解き明かす

世界史用語

エジプトはナイルのたまもの　太陽暦　ファラオ

地理用語

砂漠気候　砂漠土　雨季　乾季　サバナ気候

砂漠気候なのに「穀倉地帯」のナゾ

「**エジプトはナイルのたまもの**」

これは、ヘロドトスが残したといわれる言葉です。

この言葉の通り、エジプト文明の頃から現在に至るまで、エジプトはナイル川のおかげで繁栄することができました。

エジプト自体は国土のほとんどが砂漠気候で、本来は不毛の地です。しかし、ナイル川の豊かな水が、エジプトを穀倉地帯にしているのです。現在でも、**砂漠気候にもかかわらずエジプトの小麦の生産量は世界で18番目です。その生産量は、パスタやピザの国として知られる温帯気候のイタリアよりも多いぐらいなのです。**

エジプトをはぐくんだ洪水

高校の世界史の授業でエジプトに触れるとき、「ナイルのたまもの」という言葉とともにナイル川の「洪水」のはたらきを紹介します。ナイル川では定期的に洪水が起こりますが、そのときに、上流の栄養分の豊かな土壌を下流域に運んできます。

砂漠は、乾燥しているうえに強いアルカリ性を示す**砂漠土**が分布しています。そこに洪水が発生すると、上流から酸性を示す、栄養分を含んだ湿った土が運ばれてきます。その結果、土が中和され、水分もスタンバイされた土になるため、エジプトは穀倉地帯となった、というわけなのです。

エジプト文明をはぐくんだナイル川の洪水は、毎年決まった時期に起こります。この「決まった時期」というのが、エジプト文明の性格を決定づけるひとつの要素になっているのです。

「決まった時期」ということから、太陽や星の運行と洪水が結びつけられ、**太陽暦**が使われることになり、この「決まった時期」に合わせて、ナイル川の増水期を予知し、ナイル川の水位を管理して民衆に耕作の時期を告げる存在である王（**ファラオ**）は「太陽神の化身」として超越的な権威を持ったのです。

定期的な増水をつくる「ゾーンのずれ」

そもそも、なぜナイル川は定期的に増水するのでしょうか？

その答えは、アフリカの気候分布を見るとわかります。

地球は、低緯度から高緯度にかけ、「湿潤」ゾーンと「乾燥」ゾーンが帯状に分布しています。このゾーンが、太陽の高度の変化により、季節によって上下するのです（こうした「ゾーンのずれ」と、気温の要素が合わさって気候区分ができるのです）。これをアフリカに当てはめた場合、エジプトは夏も冬も乾燥したゾーンにあたります。しかし、その上流では、夏は**雨季**、冬は**乾季**というゾーンにあたるのです。この「雨季と乾季」がはっきりする熱帯の気候を「**サバナ気候**」といいます。

エジプトは上流に広大なサバナ気候エリア（エチオピア高原は標高が高いため、熱帯に属しない地域もありますが）を持ち、それが雨季になったときに、「決まった時期」の洪水を招くのです。ファラオの強大な権威も、気候の分布がもたらしたといえるかもしれません。

現在はダムによる灌漑《かんがい》が行われ、洪水そのものは起きなくなりましたが、それでもナイル川の水量は年間を通して一定のサイクルで増減しています。

現在も続く「水」をめぐる争い

このように見ると、エジプトにとって重要なライフラインがナイル川であること、そして、その水が上流のサバナ気候帯の国から流れてくることがわかります。

つまり、**エジプトにとってはライフラインを上流の国に握られていることに等しいのです**。エジプトにとってナイル川の上流にあたるスーダンとエチオピア、この2か国とエジプトは水利権の紛争を繰り返してきました。

エジプトとスーダンの間では何度も協定が結ばれ、水の分配が決められていますが、さらに上流のエチオピアとの間には微妙な空気が流れています。近年、エチオピアがスーダンとの国境にグランド・エチオピアン・ルネサンスダムというダムを建設したのです。エチオピアの主張では発電用のダムで、水資源の分配には影響しないということですが、エジプトにとっては水資源のおおもとを他国に握られてしまうことになり、反発をしています。

2020年には、アメリカがこの両国の仲裁に入る事態となり、世界的な注目も集まっています。

ナイル川上流のサバナ気候

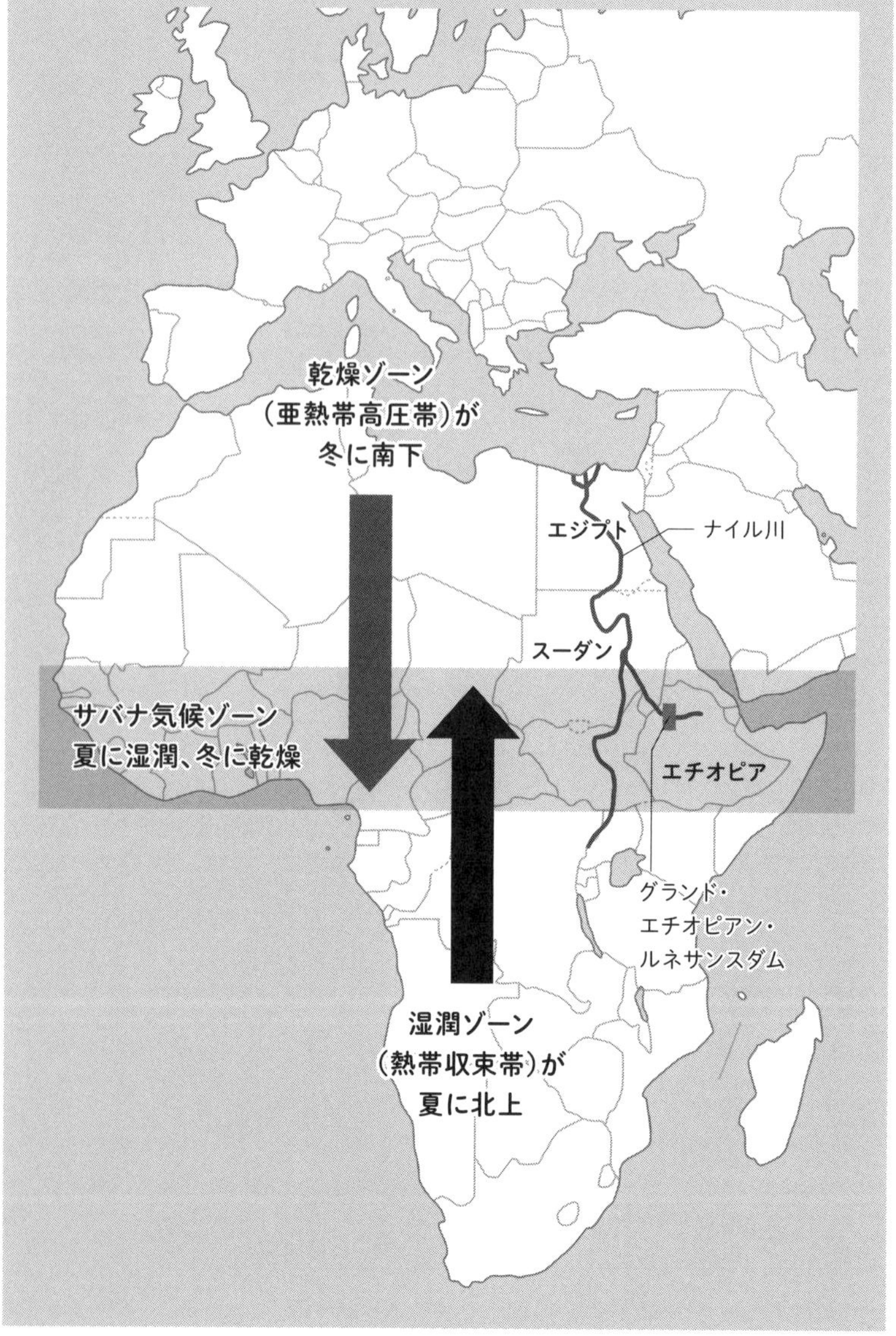

Number
34
古代

「エジプト人の文明」は4000年続いたのに「メソポタミア文明」は様々な民族が興亡した理由

世界史用語
メソポタミア文明　楔形文字　シュメール人　アッシリア

地理用語
ティグリス川　ユーフラテス川　沖積平野

民族の入れ替わりが激しかったメソポタミア

エジプト文明と並び、古い歴史を持つ文明が**メソポタミア文明**です。

メソポタミア文明は、世界最古の文字のひとつである**楔形文字**《くさびがた》を生み出したり、一週間を7日にしたり、時間や角度に用いられる60進法を生み出したり、現代にも大きな影響を残しています。

メソポタミアでは、**シュメール人が都市文明を築いたのち、アッカド人やアムル人、カッシート王国、アッシリアなど、様々な民族が興亡しました。**

一方、エジプトでは衰退や繁栄の時期があったものの、基本的にはエジプト人の国家が4000年にわたって続きました。

この理由を、世界史の教科書や資料集では地形に求めています。**メソポタミアは開放的で平坦な地形だったため、様々な民族が侵入し、多くの王朝が興亡したのに対し、エジプトは砂漠と海に囲まれた閉鎖的な地形のため、異民族の侵入が少なく、エジプト人たちの文明が続いた**という説明がなされています。

メソポタミアの歴史をつくった2つの大河

メソポタミアが「開放的」な地形だった理由には、2つの大河の存在が大きなカギを握ります。

エジプトが「ナイルのたまもの」であったように、メソポタミアでは**ティグリス川**と**ユーフラテス川**という2つの大河が歴史をつくってきました。

じつは、「メソポタミア」という名前も「2つの川の間の土地」という意味で、メソポタミアの「メソ」は「メゾフォルテ」とか「メゾピアノ」の語源と同じで「間」や「中間」を表します。すなわち、メソポタミア文明はティグリス川とユーフラテス川という2つの川の存在が前提となっているのです。この2つの川は上流から運んできた土砂を堆積させながら、時には氾濫を起こして土砂をまき散らし、広大な氾濫原からなる**沖積平野**をつくります（河川の堆積作用によってつくられる平野を沖積平野といいます）。

この広い沖積平野が諸民族の興亡を生んだのです。

一方、エジプトはどうでしょうか？

ナイル川も毎年洪水を起こすのですが、ナイル川の洪水は「増水」というイメージが強く、遠くまで土砂をまき散らしたり、河道を変えたりするような氾濫は起きず、ティグリス川やユーフラテス川のように、広大な氾濫原は形成されません。

メソポタミアの２つの川と、ナイル川の勾配を見ると、面白いことがわかります。

ティグリス川は標高１１５０ｍの源流から河口まで、１８５０㎞の長さにわたって流れます。平均すると、１㎞当たり約62㎝という勾配です。

ユーフラテス川を計算すると、標高３５２０ｍの源流から河口まで２８００㎞の距離を流れ、平均の勾配は１㎞あたり約１ｍ25㎝です。同じように、ナイル川（ヴィクトリア湖から河口まで）を計算してみると、標高１１３４ｍのヴィクトリア湖から５７６０㎞先の河口までの勾配は、なんと１㎞あたりたった約19㎝という緩やかさです。

河川は一般的に傾斜が緩くなるほど、侵食・運搬作用は小さくなります。

緩やかなナイル川は上流の土砂を削り、下流に持ってくる力が弱く（それゆえに、毎年肥沃な土壌を「適量」運んでくるために、穀倉地帯となっているのです）、メソポタミアに比べると広大な沖積平野が形成されなかったというわけなのです。

メソポタミアとエジプトの地形の違い

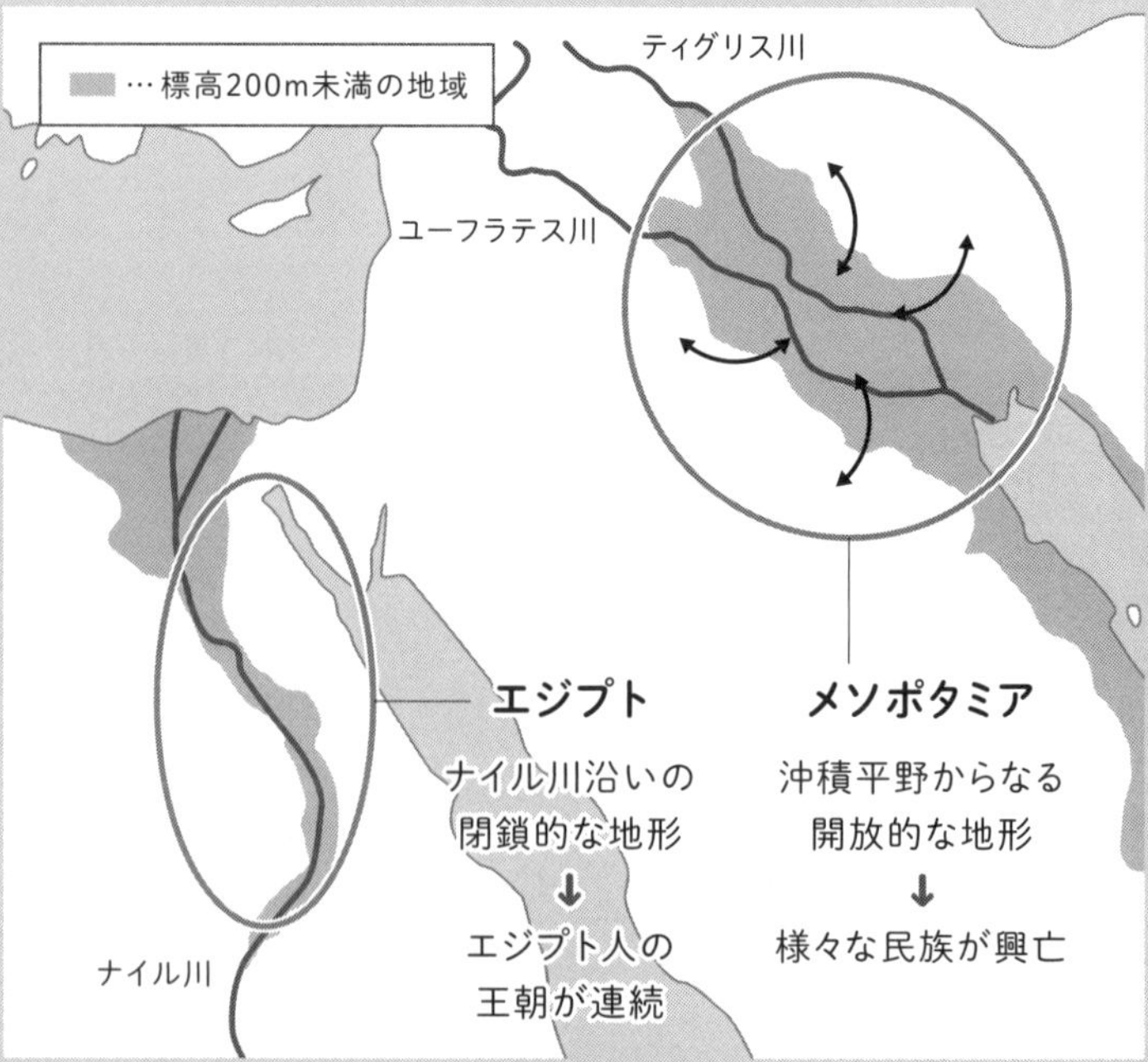

傾斜の比較（源流からの距離・高度を表現）

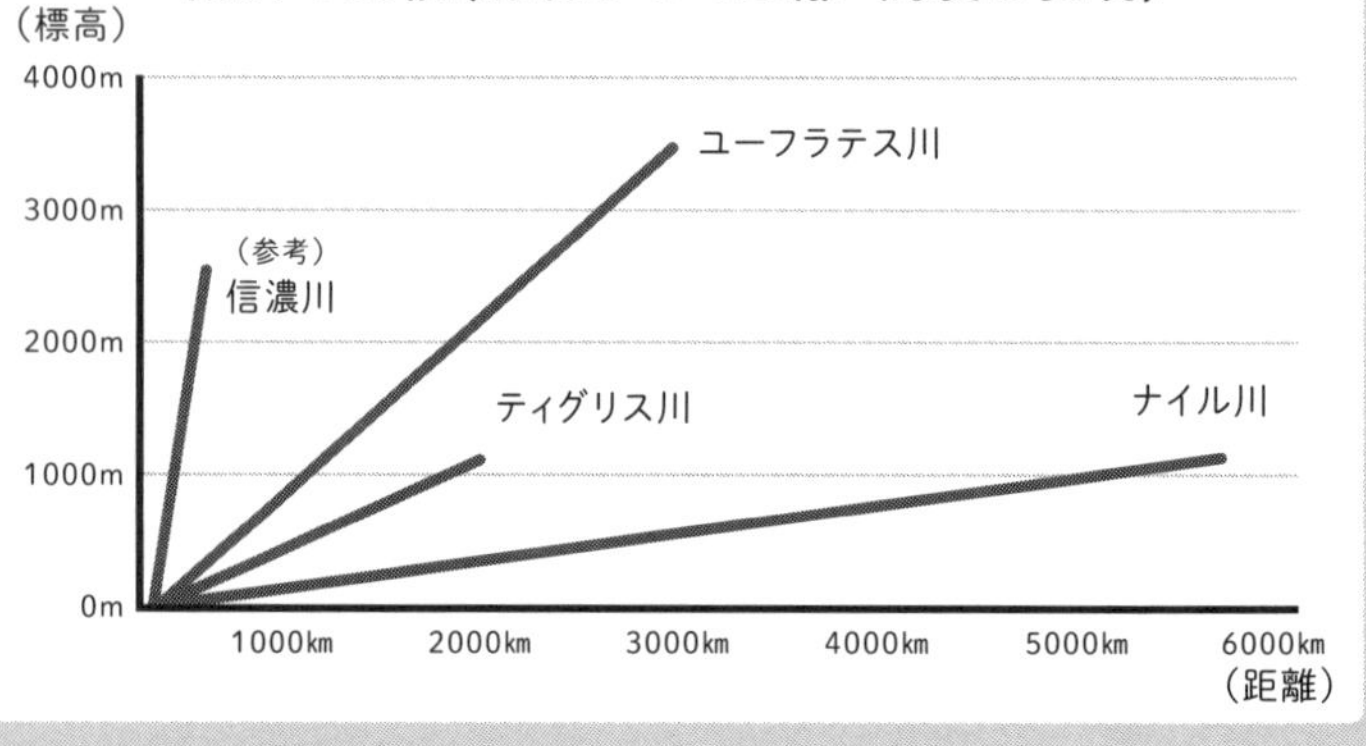

Number
35
古代

「天然ガス」が生み出した？人類初の世界宗教「ゾロアスター教」

世界史用語
ゾロアスター教　ペルシア帝国　拝火教

地理用語
天然ガス

世界の宗教に大きな影響を与えた「拝火教」

ペルシア、すなわち現在のイランでおこった宗教である**ゾロアスター教**は、「人類初の世界宗教」ともいわれています。**ペルシア帝国**で広く信仰され、ユダヤ教やキリスト教をはじめとする多くの宗教に影響を与えました。

ゾロアスター教は「善」と「悪」の二元論を特徴とします。「叡智の神」にして「光の神」とされるアフラ＝マズダという神こそが崇拝に値する唯一の神とされました（自動車メーカーの「マツダ」の綴りが「ＭＡＺＤＡ」と、Ｚになっているのも、アフラ＝マズダからきています）。

ゾロアスター教において、特に尊ばれるのが火です。ゾロアスター教における善の象徴は「光」なので、闇の中に光を生み出す火は特に尊ばれるのです。
そのため、ゾロアスター教は「**拝火教**」ともいわれます。

自然に燃える火があったイランの地

この「火」を尊ぶ、というのは、地理的な理由もあるかもしれません。ゾロアスター教が生まれたペルシア、現在のイランの統計情報を見たときに、特筆すべき特徴があるのです。

それが、天然ガスの埋蔵量が世界で2位（1位はロシア）、産出量は世界で3位（1位はアメリカ、2位はロシア）という「天然ガスの国」であるということです。

こうしたことを考えると、推測の域を出ませんが、**イランの各地には自噴する天然ガスに偶然火が付き、自然に燃えている火があったに違いありません**。その火が特別扱いされ、「拝火教」と呼ばれるゾロアスター教に影響を与えた、と考えることもできるのではないかと思います。

イランの隣国であるアゼルバイジャンには古代から燃え続け、「永遠の火」と呼ばれている天然ガスの火が存在するゾロアスター教の寺院が存在しています。

ゾロアスター教を生んだ天然ガス

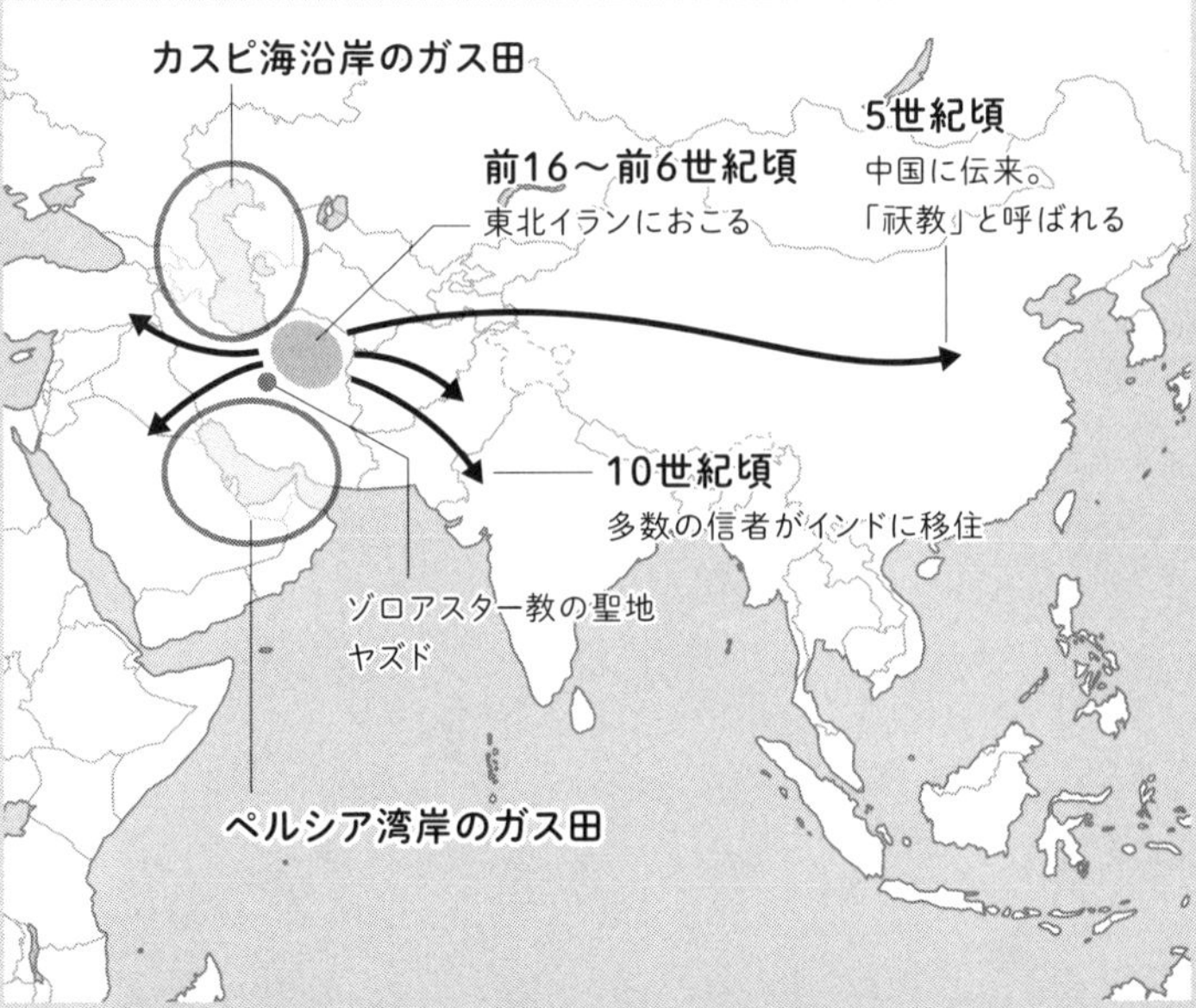
カスピ海沿岸のガス田
前16～前6世紀頃
東北イランにおこる
5世紀頃
中国に伝来。
「祆教」と呼ばれる
10世紀頃
多数の信者がインドに移住
ゾロアスター教の聖地
ヤズド
ペルシア湾岸のガス田

ゾロアスター教における
「叡智の神」「光の神」
アフラ＝マズダ

ゾロアスター教

- ユダヤ教やキリスト教に大きな影響を与えた宗教
- 善悪の二元論を持つ
- 火を尊び、儀式に火を使用（拝火教）
- 現在の信者は約10万人

Number

36

近現代

ニュージーランドの「ジーランド」ってどこ？

世界史用語

ニュー・アムステルダム　タスマン

地理用語

ニューヨーク　ニューオーリンズ　ニュージャージー　ニュージーランド　ニューギニア

「ニュー」が付く地名

アメリカ合衆国には、「ニュー」が付く地名が数多くあります。

多くの人が「ニュー」の付くアメリカの地名として最初に思い浮かべるのは、「**ニューヨーク**」だと思います。

じつは、ニューヨークは、これまでに何度も地名が変更されています。

この都市に最初に付けられた名前は、16世紀にフランスの命を受けたイタリアの探検家による、「ヌーヴェル・アングレーム（ニュー・アングレーム：アングレームはフランス中西部の都市です）」でした。

続いて、17世紀にオランダ人たちによって本格的に入植が始まると、オランダの首都にちなんだ「**ニュー・アムステルダム**」と名付けられます。

そして、イギリスの手に渡ると、時のイギリス国王ジェームズ2世がヨーク公という爵位を持っていたことから、ニューヨークと名付けられました。ヨークというのは、イギリス中部の地名です。

他にニューヨーク以外の例を挙げると、アメリカ南部の都市「**ニューオーリンズ**」はフランスの都市オルレアンから、アメリカ東部の州の「**ニュージャージー**」はフランスとイギリスの間の海峡にあるジャージー島からきています。

これらのような「ニュー」が付く地名は、植民地の歴史を持つ土地であることを示しているのです。

ニュージーランドの語源は意外な地域だった

国名に「ニュー」が付いている国もあります。

それが、**ニュージーランド**です。

アメリカの例でいえば、「ニュージーランド」は「ニュー・ジーランド」ということになります。

では、ニュージーランドの「ジーランド」ってどこなのでしょうか？

世界地図を広げても、「ジーランド」という地名は見当たりません。**ニュージーランドの「ジーランド」は、オランダの「ゼーラント州」からきています。**ゼーラント州はオランダの南西部、現在のベルギーとの国境付近にある州です。

ニュージーランドの地にゼーラント州の名前を付けたのは、17世紀のオランダの探検家、**タスマン**です。

タスマンはオランダ東インド会社の指示で、南半球の探検に赴きました。その際にニュージーランドを発見し、「新しいゼーラント」という意味で、「ニューゼーランディア」と名付けたのです。オーストラリアの南にあるタスマニア島は、このタスマンからきています。

ゼーラントという名称を英語に変換すると、「シー・ランド（海の国）」になるので、ゼーラント州は「海の国（地域）」、ニュージーランドは「新しい海の国」になるというわけです。

ニュージーランドの他に、もうひとつ国名に「ニュー」が付く国として「**ニューギニア**」があります。「ニュー・ギニア」で、おわかりの通り、アフリカのギニアが由来です。

近年、このような「ニュー」のつく地名や、外国の支配を由来とした地名を、現地の民族がもともと呼んでいた呼称に改めようという議論がなされつつあります。

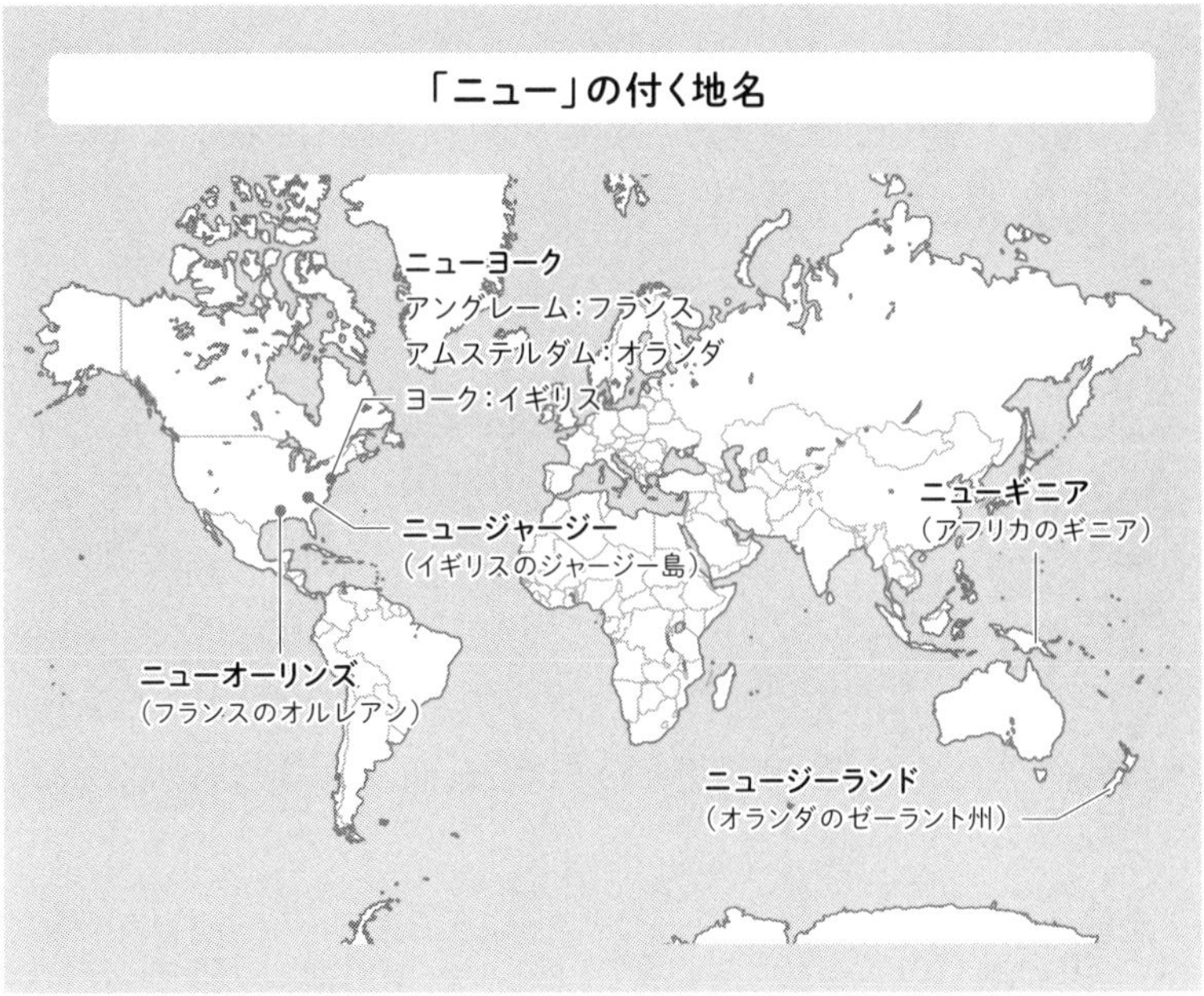

ニュージーランドでは、先住民族のマオリによる呼称である「アオテアロア」に呼称を変更するべきだという議論が生まれつつあります。また、イギリスの国旗が左上に載せられている国旗も、変更すべきという議論がおこり、２０１５年と２０１６年には、国旗の変更に関する国民投票が実施されています（その結果、現行の国旗を継続して使用することになりました）。

インドが、「インド」の呼称をイギリスの植民地支配の名残だと主張し、２０２３年のG20サミットでは「バーラト」の呼称を使用したことも、記憶に新しいところです。数十年後には、国名や地名が、現在のものとは大きく変わっているかもしれません。

Number

37

近現代

船乗りが恐怖した「吠える40度・狂う50度・絶叫する60度」とは？

世界史用語

クリッパー

地理用語

偏西風　亜寒帯低圧帯

強い偏西風に吹きさらされる海域

いわゆる大航海時代以降、多くの探検家たちが未知の海に挑みました。現代に名前が残っている人物はごくまれな成功例であり、実際には多くの探検家たちが途中で命を落としています。

そのような危険な航海に挑む**船乗りの間で特に恐れられたのが、「吠える40度」「狂う50度」「絶叫する60度」といわれた南緯40度から南緯60度の間の海域です。**

この海域が恐れられた理由は、強い**偏西風**と陸地の配置にあります。強い偏西風が吹いていることに加え、**南半球の南緯40度以南には風をさえぎる陸地が少なく、その風が止まることなく吹き抜けていくのです**（北半球には風をさえぎってくれる陸地が多いのです）。

南緯40度で陸地があるのは南アメリカ大陸とニュージーランドだけになり、南緯50度では南アメリカ大陸の先のほうだけになり、南緯60度になると、ほとんど陸地はありません。したがって、南下すればするほど船に強力な風が吹きつけることになるのです。この緯度帯は雨が多い**亜寒帯低圧帯**に位置するので、強い風に雨も加わり、暴風雨となって襲いかかるのです。

近代には航路となった「吠える40度」

かつて南緯40度の風は、アフリカ南端を通り過ぎるときに、下手につかまってしまうと帰ってこられないという「恐怖の風」でしたが、**時代が進むと、この風も船を動かす貴重なエネルギーとしてとらえられるようになっていきます**。

南緯40度の風は地球を一周する西風として使うのに便利で、19世紀の「**クリッパー**」といわれる快速の大型帆船を用いて、茶や羊毛を高速で運ぶのに使われました。時には、この航路を利用し、目的地から帰ってくるまでのレースとなったこともあります。この、南緯40度の航路の利用は蒸気船の時代を迎え、スエズ運河が開通する頃まで盛んに行われました。

「吠える40度・狂う50度・絶叫する60度」

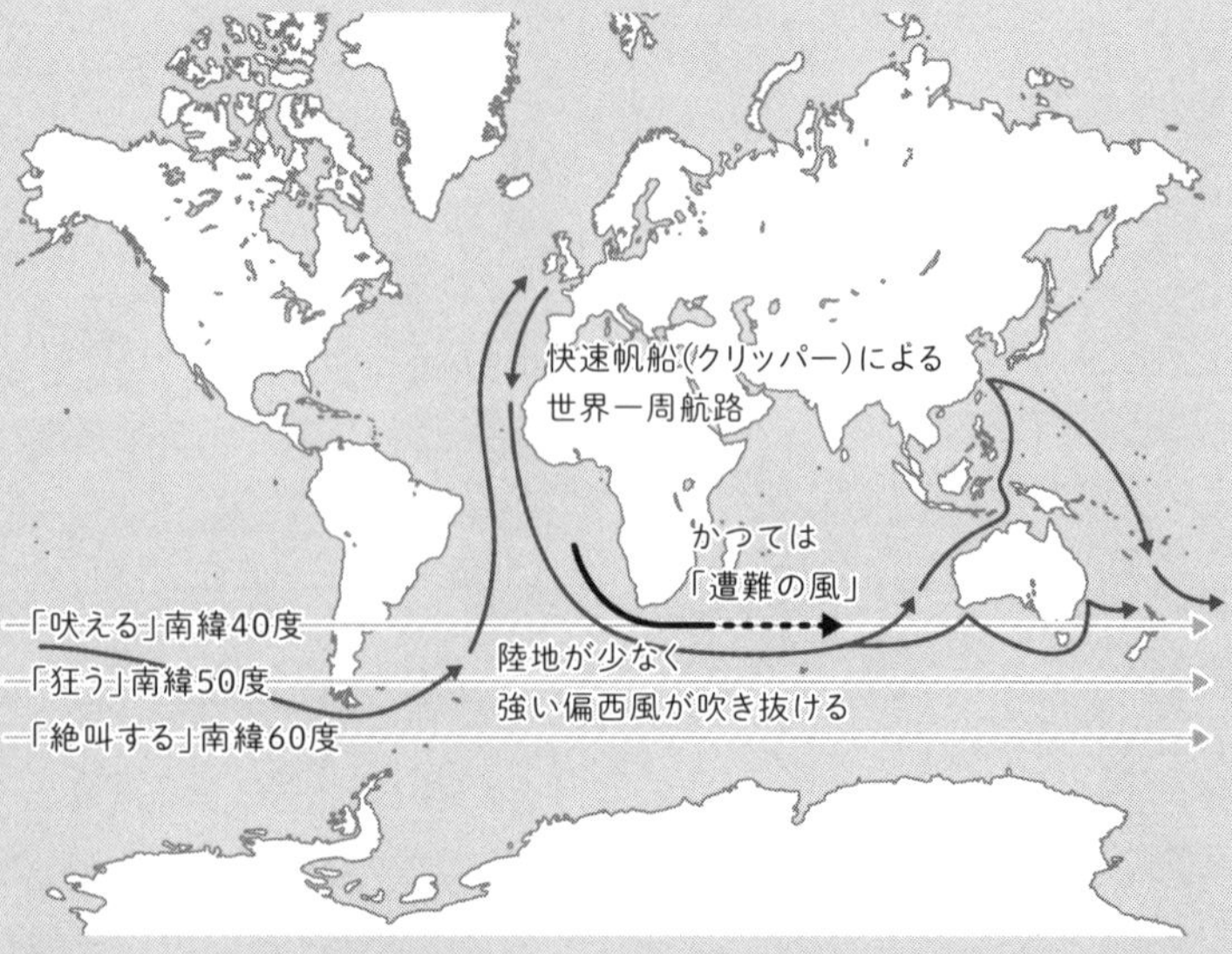

南緯40度から60度に向かって次第に陸地が少なくなる
南緯60度は陸地がほとんどなくなり、強い西風が吹く

「絶叫する60度」付近の
南極海を航行する探検
船を描いた19世紀前半
のフランスの絵画

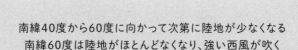

Number
38
近現代

日本語が公用語の地域は、じつは日本以外にある！

世界史用語
パラオ　南洋諸島　パリ講和会議　パラオ共和国

地理用語
公用語　委任統治領

日本には明確な公用語が定められていない

多くの国では、**公用語**が定められており、ひとつの言語が公用語となっている国もあれば、複数の言語が公用語という国もあります。

では、日本の「公用語」は何語かと聞くと、「日本語の公用語は、当然日本語である」と答える人も多いかもしれませんが、じつは、日本の場合は明確な公用語が法令によって定められていません。学校での「国語」の授業などを通し、日本語が事実上の公用語のようになっているのです。

日本語が公用語の地域は南の島にあった

しかし、世界には日本語が公用語となっている地域がひとつだけあるのです。それが日本ではないとすると、いったいどこなのでしょうか。

それは、太平洋に浮かぶ島国、**パラオ**の南部に浮かぶ島のアンガウル島（アンガウル州）です。その、アンガウル州の憲法の第12条には、「パラオ語と英語、日本語を公用語にする」という文言があるのです。ですが、アンガウル州は「州」とか「憲法」といっても、１２０人ほどの人口の地域ですし、日常的に日本語を話す人はほとんどいないようです。

多くの国の手に渡ったパラオの歴史

18世紀以前のパラオの歴史の記録はほとんど残っていませんが、18世紀初頭にヨーロッパにその存在を知られるようになり、１８８５年にはスペインによる統治が行われるようになりました。その14年後に財政難のスペインはパラオを含む**南洋諸島**をドイツに売り渡し、１８９９年にはドイツ領となります。

そして、**１９１４年に始まった第一次世界大戦では、日本がドイツの敵として、協商**

国側で参戦し、海軍を送り込んで南洋諸島を占領しました。そのことにより、ドイツ敗戦後、**パリ講和会議**によって日本の**委任統治領**となるのです。日本はパラオを南洋諸島統治の中心地とし、学校や道路、空港などの整備を行いました。パラオには現在でも「ショウユ」や「メガネ」、「ヒコウジョウ」などの日本語が残っているそうです。第二次世界大戦では、日本の重要拠点として激戦地となり、戦後はアメリカの統治下に入り、1994年に独立して**パラオ共和国**になりました。このときの初代大統領も日系人で、パラオは親日国家のひとつとして知られます。

パラオにとって身近な存在だった日本

日本とつながりの深いパラオの中で、なぜアンガウル州だけが日本語を公用語にしているのでしょうか？

2010年代に行われた調査では明確な理由は不明で、憲法制定に携わった人々からは「なんとなく公用語に日本語を含めた」というような回答だったそうです。**この調査が、「特別な理由もいらないほど日本語が身近な存在だった」ことの証拠である、とまとめられていることからも、パラオと日本の関係の深さがうかがえるようです。**

日本語が公用語になっているパラオの島

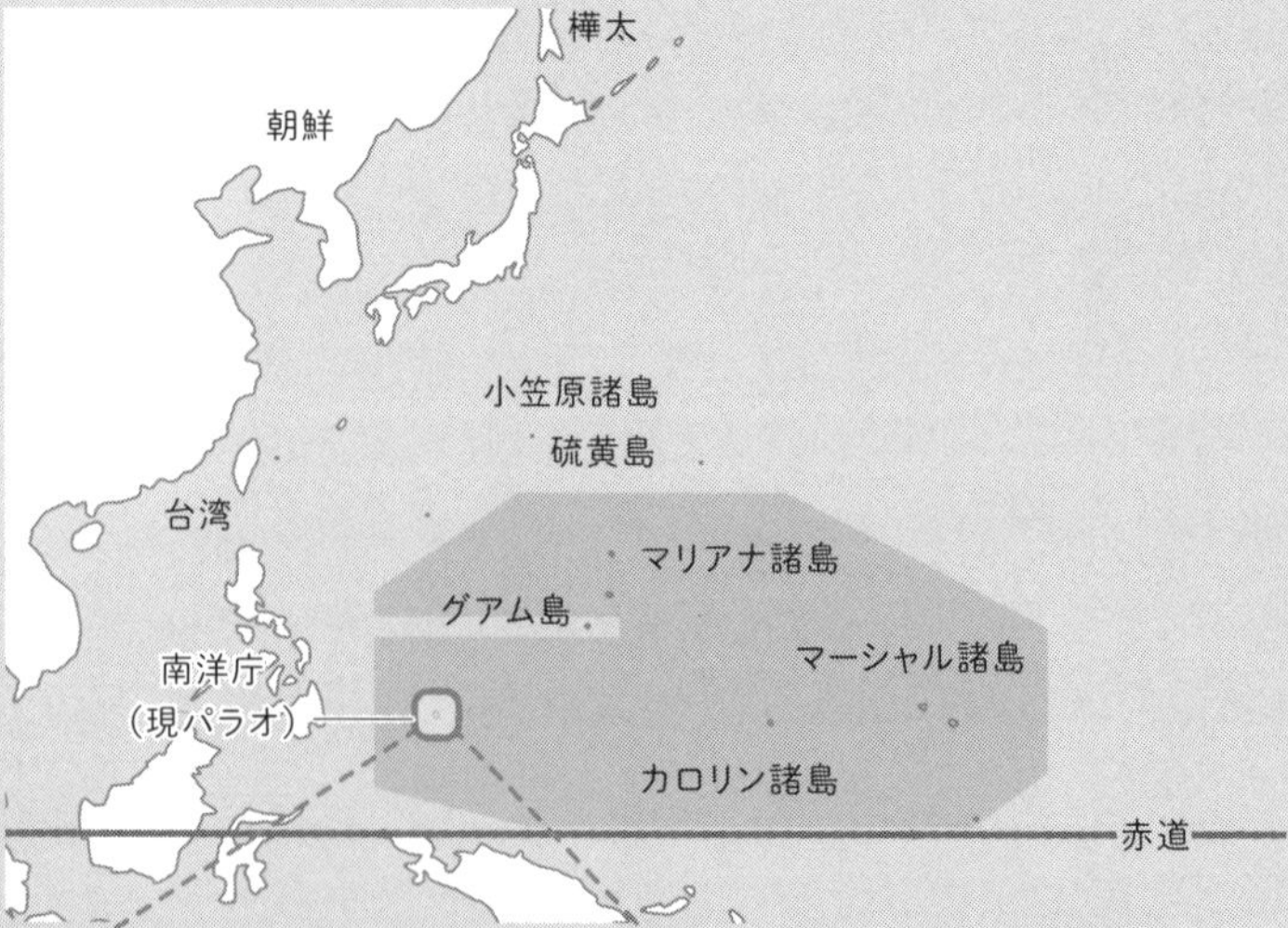

パラオの歴史

1885年
スペインの統治開始

1899年
ドイツに売り渡される

第一次世界大戦後
日本の委任統治領に
パラオに南洋庁が置かれる

第二次世界大戦後
アメリカの信託統治領に

1994年
独立してパラオ共和国に

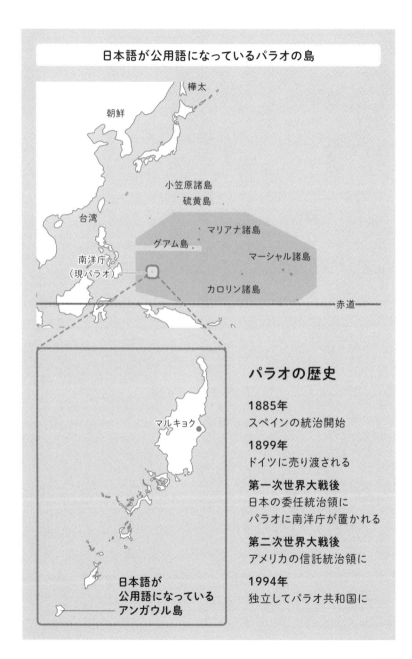

第5章

世界史と地理から読み解く「世界遺産」

Number

39

世界遺産①

時が止まったかのように「ローマ時代の生活」が今に蘇る「ポンペイ遺跡」の謎

世界史用語

ポンペイ　ローマ帝国

地理用語

変動帯　安定地域　プレートの境界　造山運動　火山フロント

ローマの生活がわかる貴重な遺産

イタリア南部の主要都市ナポリの近くに、世界的に有名な**ポンペイ**の遺跡があります。

ローマ帝国時代の都市であるポンペイは、海に面した商業都市として繁栄しましたが、西暦79年にヴェスヴィオ火山の噴火によって火山噴出物に埋まりました。

突然の噴火だったため、**ローマの都市のある1日の生活が時を止めたかのように保存されている、貴重な遺跡になっています**（炭化したパンや、居酒屋のメニューなども残っています）。また、街のいたるところにある鮮やかなモザイク画の数々も有名です。

イタリアやギリシアに多い火山と地震

噴火によってポンペイを埋めてしまった火山に注目してみましょう。

現在、**ヨーロッパの主要な活火山を見ると、イタリアとギリシア、アイスランドに集中しています**。

このうち、アイスランドの火山は別の要因でつくられた火山なので別ものだと考えると、活火山はイタリア半島とギリシアという、南ヨーロッパの地中海沿いに集中していることがわかります。

高校地理では、大陸や海洋、大規模な山脈などの「大地形」を学びます。そのときに、地球の大地形は巨大な山脈や断層、火山などが分布する**変動帯**と、それ以外の地震、火山活動が不活発な**安定地域**に分けられることを学びます。この変動帯をつくるのが**プレートの境界**です。

地球の表面は十数枚のプレートに分かれており、ゆっくりと動いています（プレート上の大陸もそれに伴い動くというのが、いわゆる「大陸移動説」です）。

プレートの境界では、プレート同士が離れたり、衝突したりします。プレート同士が近づき、ぶつかるときにその境界で大きな山脈が形成されます（このような山脈をつくる作用を「**造山運動**」といいます）。

火山が並ぶ「火山フロント」

変動帯では、火山が列状に連なる「**火山フロント**」がしばしば形成されます。プレート同士が衝突すると、プレートが一方の下にもぐり込んだり、プレートにひずみが生じたり、地震が発生したりするなど、様々な変化が起こります。その変化のひとつが、火山の形成なのです。日本列島も、プレートの境界にあたる変動帯であり、火山フロント上には多くの火山があり、地震が多発しています。

地中海にも、アフリカプレートとユーラシアプレートのプレートの境界があり、そのプレートの境界線付近には火山フロント（地中海火山帯）が形成されています。この火山のひとつ、ヴェスヴィオ火山の噴火がポンペイの町を埋めたのです。

アフリカプレートは、エーゲ海周辺や現在のトルコ共和国付近に位置するプレートともぶつかっており、火山を形成しています。この地域は地震多発地帯でもあり、イタリア、ギリシア、トルコなどはたびたび地震に見舞われています（２０２３年２月にもトルコとシリアの国境付近で大地震が発生しています）。

浅間山の噴火で埋もれた「日本のポンペイ」鎌原村

プレートの境界にあたる「変動帯」では、火山フロントが形成され、地震多発地帯となる、と説明しましたが、そうであるならば、**代表的な変動帯である日本にも、ポンペイのような場所があっても不思議ではありません**。

じつは、日本にも火山の噴出物で埋まった村があるのです。

それが、１７８３年に起きた浅間山の「天明大噴火」といわれる噴火で埋まった群馬県の鎌原《かんばら》村です。噴火の爆発音は遠く京都まで聞こえたというほどの大噴火で、村全体が埋もれ、４５０人以上の死者を出したとされます。

ポンペイと同様、鎌原村も突然時を止められてしまったかのように江戸時代の暮らしや遺構がそのままの形で残されており、貴重な歴史的遺産になっています。

火山は大きな被害をもたらすものの、時として観光名所にもなります。ヴェスヴィオ火山は後世、山頂へ向かう登山電車の宣伝ソングである「フニクリ・フニクラ」で知られるイタリアを代表する観光地となり、登山鉄道が山を上り下りしています。日本の浅間山周辺にも、「鬼押出し園」などの多くの観光スポットが存在しています。

変動帯の分布

広がる境界　狭まる境界　ずれる境界　不明瞭な境界

プレートの境目は「変動帯」となり、
プレートが衝突する狭まる境界付近では
地震・火山が多い地帯となる

Number
40
世界遺産②

なぜ、「ヴェネツィア」は毎年のように浸水してしまうのか？

世界史用語
ヴェネツィア　ゲルマン人の移動

地理用語
砂州　高潮

美しい街が水に浸かる「アクア・アルタ」

ヴェネツィアは、海に浮かぶ非常に美しい街で、世界遺産にも認定されています。イタリアの人気の観光地として、1、2位を争う都市です。

海運に支えられたヴェネツィアの中世の繁栄ぶりは、「アドリア海の真珠」と称えられます。

毎年、「海との結婚式」という行事があり、ヴェネツィアの永久の繁栄が祈られます。ただ、「海と結婚した」といわれるほど海と関連が深いこの街は、やはり海がもたらす大きな問題を抱えています。

それが、**冬になると海の水が都市部に入り込み、浸水してしまうという「アクア・ア**

ルタ」といわれる異常潮位の問題です。例年、年に10回、もしくはそれ以上の頻度でヴェネツィアの街は水に浸かってしまうのです。

防衛や交易に適したヴェネツィアの地形

ヴェネツィアに人が暮らし始めた時期は、5世紀までさかのぼります。

中世の初期、北イタリアは**ゲルマン人の移動**や、民族の抗争などで混乱していました。このとき、混乱した人々が目をつけたのが、ヴェネツィアの潟でした。

ヴェネツィアの潟は、アドリア海の沿岸流でできた巨大な**砂州**の内側にあり、湿地帯で足場は悪いものの、荒波などから守られ、なんとか人々が暮らせる地域でした。

ここに逃げ込んだ人々は、次第に街をつくるようになります。

辺境の潟にまで乗り込んでくる外敵は少なく、もし敵が船で乗り込んできたとしても、船の通り道を示す目印を取り除いてしまえば、浅瀬だらけの海域で敵の船は浅瀬に乗り上げ、立ち往生してしまいます。この地の利を生かしたヴェネツィアは海上交易で成長し、美しい市街地が形成されていきました。

防衛とセットとなる、浸水のリスク

もともと、外敵から逃れるために低湿地を選んだために、浸水はヴェネツィアにとって利点とセットの欠点になったのです。

中世から、アクア・アルタは歴史の記録にたびたび登場しています。近年では、２０１９年に大きなアクア・アルタが起こり、市域の7割以上が浸水しています。この現象は潮の満ち引きが大きいことや風向きなど、様々な条件が重なるときに起こります。そして、その多くは冬場に起きているのが特徴です。

気候から説明できるアクア・アルタのメカニズム

なぜ、冬場にアクア・アルタが起こるのでしょうか？

地球を俯瞰してみると、次ページの図のように、**低緯度から高緯度に向かって、低圧帯、高圧帯、低圧帯、高圧帯と、「しましま」のようになっています**。

地表が受け取る太陽エネルギーの量と、空気の対流の関係から、上昇気流が発生しやすい低圧帯と、下降気流が発生しやすい高圧帯ができるのです。

さらにこれを季節的な変化と合わせて見てみましょう。

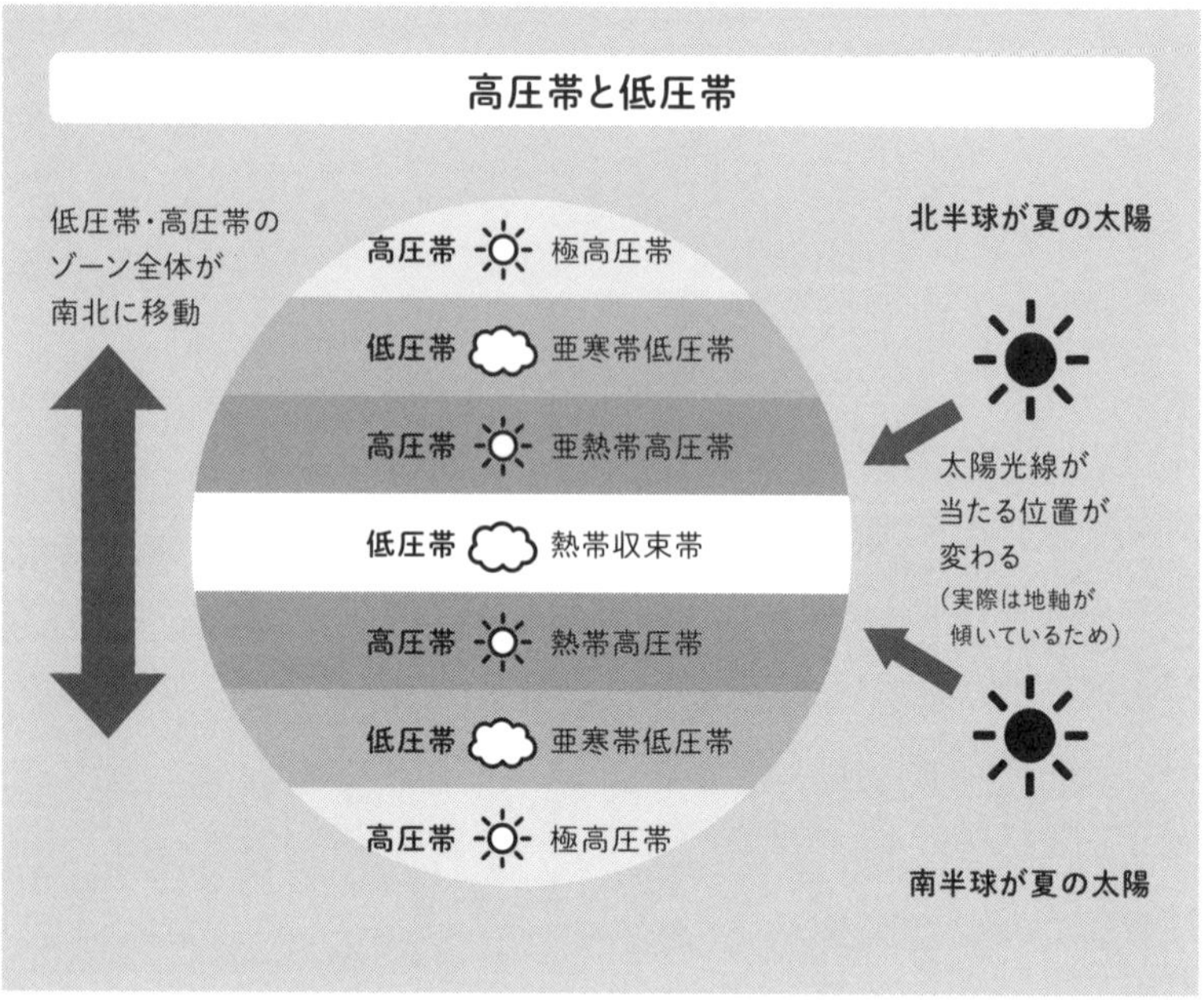

地球は、太陽の周囲を1年かけて回ります。

このとき、地球の回転軸が傾いているため、北半球が夏のときには太陽の光が北半球によく当たり、南半球が夏のときには南半球に太陽の光がよく当たります。

すると、先ほどの低圧帯と高圧帯も、季節によって南北に移動するのです。

ここで注目したいのは、ヴェネツィアを含む地中海周辺です。地中海周辺は、ちょうど、**この季節の変化によって「夏は高圧帯、冬は低圧帯」となるのです**。

高圧帯とは高気圧、すなわち雨が降りにくいゾーン、低圧帯とは低気圧、すなわち雨が降りやすいゾーンのことです。このゾーンの移動が「夏は雨が降らず、冬に雨が多い」という、地中海性気候をもたらすのです（ヴェネツィアは海に囲まれているので、地中海性気候よりも湿潤であるため「温暖湿潤気候」に属します）。

アクア・アルタの正体は低気圧による高潮

この「冬に低圧帯」という特徴がヴェネツィアの浸水、アクア・アルタを生むのです。**低気圧ということは、海面を押さえつけている大気の圧力が低いということなので、海面が上昇します**（逆に高気圧の場合、海面を押さえつけている大気の圧力が高いために海面が低下します）。こうした低気圧による海面上昇を「**高潮**」といいます。ここに、強い南風が吹き付け、アドリア海の奥に海水が押し寄せるという条件が重なると、ヴェネツィアではアクア・アルタが発生するのです。

アクア・アルタを軽減する大プロジェクト

現在、アクア・アルタに対し、イタリアは莫大な予算を投じて「モーゼ・プロジェクト」と呼ばれる水門建設プロジェクトを進めています。ヴェネツィアの潟の入り口をふさぐ水門を設置し、アクア・アルタを軽減しようとしているのです。この水門は２０２０年に試運転が開始され、２０２３年中には本格的な稼働が予定されています。

ヴェネツィアで起きる高潮

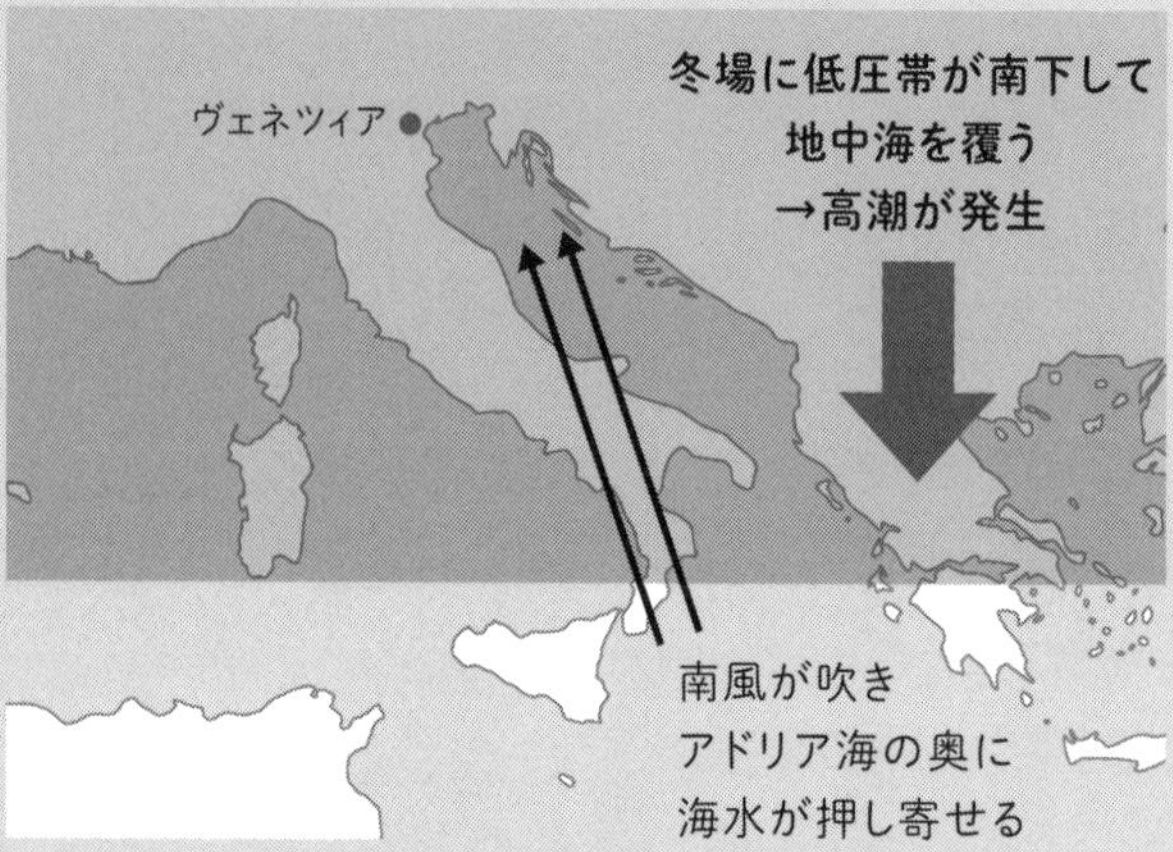
冬場に低圧帯が南下して
地中海を覆う
→高潮が発生
ヴェネツィア
南風が吹き
アドリア海の奥に
海水が押し寄せる

ヴェネツィアの潟とモーゼ・プロジェクト

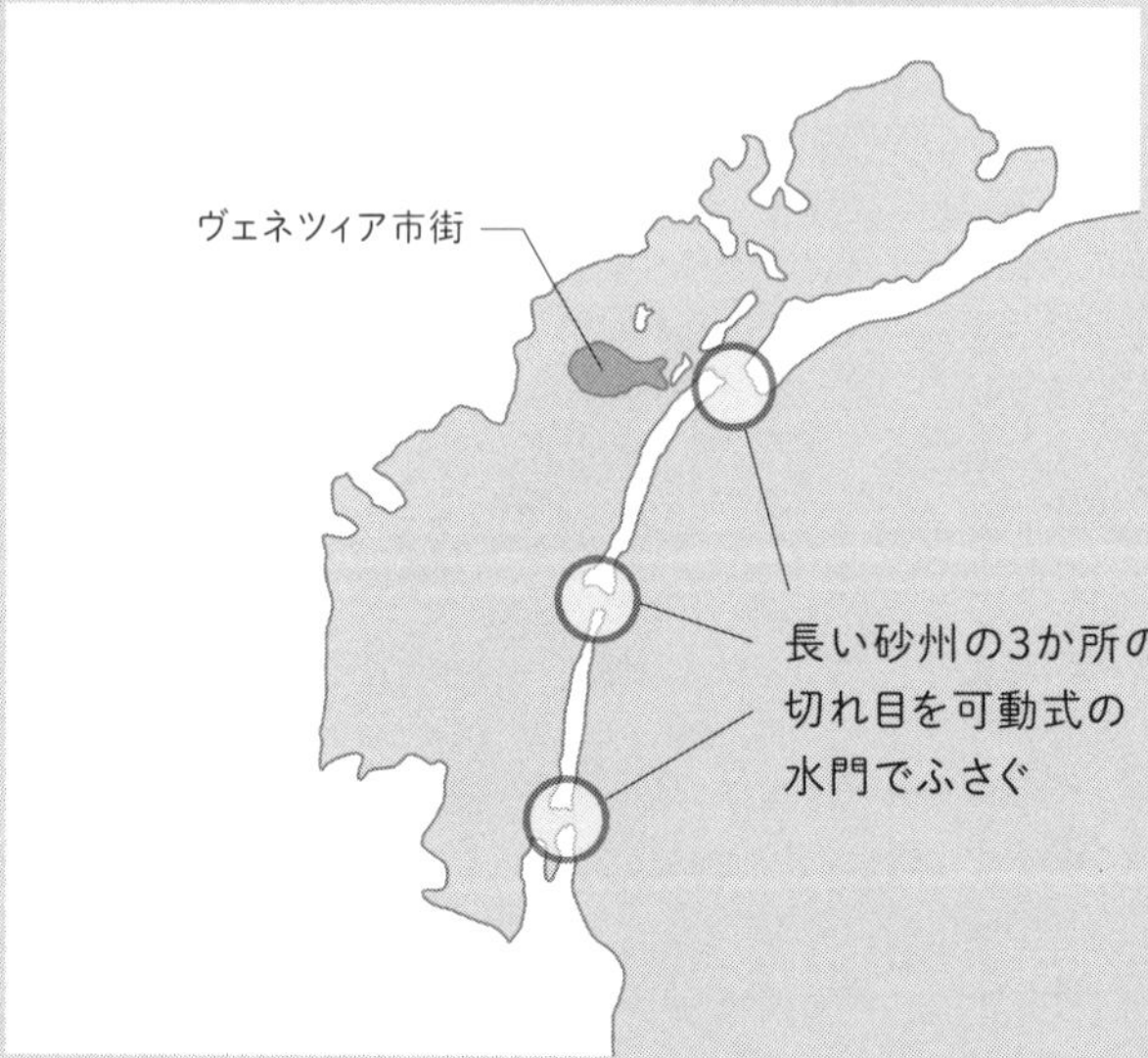
ヴェネツィア市街
長い砂州の3か所の
切れ目を可動式の
水門でふさぐ

Number

41

世界遺産③

なぜ、「ナスカの地上絵」は２０００年間も消えないのか？

世界史用語

ナスカの地上絵　インカ帝国

地理用語

海岸砂漠

実際には「薄く書かれている」地上絵

ナスカの地上絵は、ペルーを代表する世界遺産です。

幾何学模様や動物の模様など、１０００以上の絵が残っています。

描かれた目的は今なお不明であり、古代史の魅力的なミステリーのひとつです。

ナスカの地上絵が描かれた年代は、今からおよそ２０００年前と推定されています（推定年代には大きな開きがあります）。空中から見ると、絵のサイズは直径数ｍから、大きなものでは約３００ｍにもなります。


これほど大規模かつ、２０００年間もの長きにわたって残っている絵と聞くと、さぞかし、しっかりとした溝を掘って濃く描かれているのだろう、と考えるでしょう。

ところが、この地上絵の描き方は驚くほど薄いのです。

地面を覆う石を取り除いて、**下の地面を露出させたり、深さ10㎝程度の溝を掘ったりするぐらいの描き方で、２０００年も長持ちするようにはとても思えません。**

ナスカの地上絵が残っている理由は気候にあった

なぜ、ナスカの地上絵は現在にもその姿を残すことができているのか？

それは、**ナスカの地が世界有数の雨が降らない地域といわれる、アンデス山脈の西側の地域だからです。**

雨がほとんど降らないので、表面の小石が流されることもなければ、浅い溝がなくなってしまうこともありません。

雨が降らない理由は、ペルー沿岸をめぐる海流の作用です。海流が発生するおもな原因は、偏西風や貿易風などの地球上をめぐる大きな風の循環です。太平洋の低緯度では、赤道付近で温められた海水が貿易風によって東から西へ流され、アジアやオーストラリアなどの陸地にぶつかって、南北に分かれます。そして、少しずつ冷まされながら偏西風に流されて西から東に向かい、南北のアメリカ大陸にぶつかって今度は赤道付近に集まります。

ペルー周辺の「海岸砂漠」

ここまでの話から、中緯度では大陸の東岸で暖流が流れ、大陸の西岸で**寒流**が流れるということがわかります。

「暖流が流れる」ということは、暖かい海から水蒸気が盛んに供給され、上昇気流が発生して雲ができ、雨が盛んに降ることを意味します。

逆に、**「寒流が流れる」ということは、高緯度から冷たい水が流れ込んでいるため、上空よりも海面近くのほうが温度が下がり、上昇気流が発生しないため雲ができず、雨が降りません**。こうしてできた海岸付近の砂漠を「**海岸砂漠**」といい、ペルー沿岸やアフリカの西岸などに見られます。

このような特性を見ると、**インカ帝国**など、アンデス山脈の古代文明の多くが高地や傾斜地に存在した意味がわかります。

マチュピチュやクスコなど、山間の高地の傾斜地に畑が存在し、「よくこんな不便そうな高地の傾斜地に畑をつくったな」と思うのですが、傾斜地に風がぶつかる山間でないと、上昇気流が発生して雨が降らないため、傾斜地のほうが降水を期待できるからなのです。

ナスカの地上絵

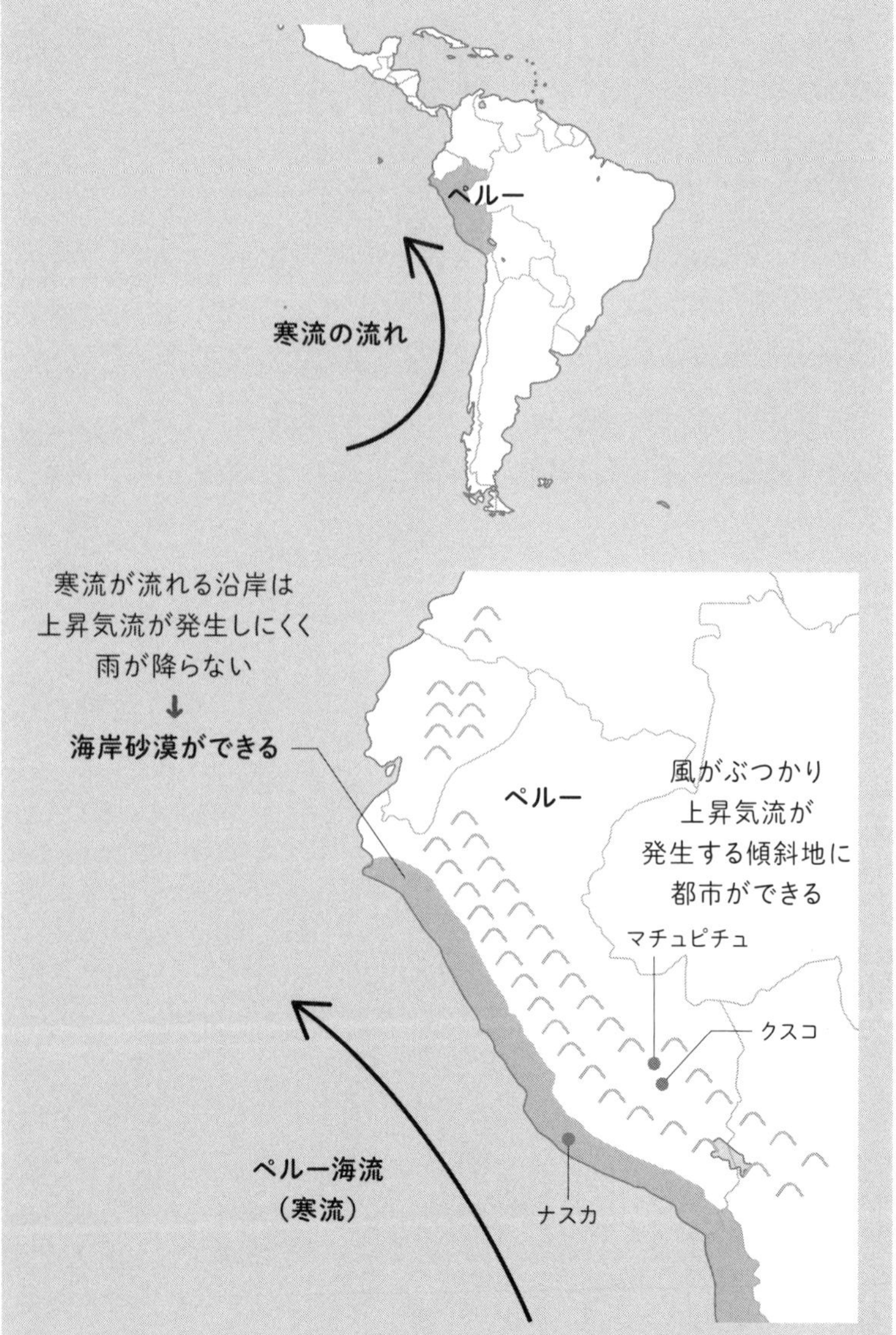
ペルー
寒流の流れ
寒流が流れる沿岸は
上昇気流が発生しにくく
雨が降らない
↓
海岸砂漠ができる
ペルー
風がぶつかり
上昇気流が
発生する傾斜地に
都市ができる
マチュピチュ
クスコ
ペルー海流
（寒流）
ナスカ

Number

42

世界遺産④

「シルクロード」のオアシス都市は、なぜ「点在」ではなく「整列」しているのか？

世界史用語

シルクロード

地理用語

タリム盆地　タクラマカン砂漠　内陸砂漠　上昇気流

「死の世界」をつないできたオアシス都市

古くから、**シルクロード**は中国とヨーロッパを結ぶ重要な交易ルートです。多くの人が行き交い、様々な歴史をつくってきました。

シルクロードの途中にある大きな盆地が、現在の中華人民共和国の西にある、**タリム盆地**です。このタリム盆地には**タクラマカン砂漠**という大きな砂漠があります。タクラマカン砂漠の語源には諸説ありますが、「生きては出られない」「死の世界」というような意味を持つウイグル語からできたという説があります。**タクラマカン砂漠はユーラシア大陸の中でも、内陸部に位置し、海から遠く離れているために水蒸気の供給が少ないという、内陸砂漠の代表です。**

しかし、「生きては出られない」というこの砂漠ですが、シルクロードを行き交う商人たちは、オアシス都市をつなぐ交易路を通って、砂漠を横断していました。

地図を見ると、オアシス都市がきれいに、山沿いに数珠つなぎになっていることがわかります。当時から、「西域北道」や「西域南道」といわれた、数珠つなぎのようにオアシス都市をつなぐ道がタリム盆地の南北に存在していました。

では、砂漠のど真ん中に散らばるのではなく、なぜオアシス都市は山麓に連なるのでしょうか？

砂漠に雨が降る場所は「高低差があるところ」

その理由は、降水にあります。

雨が降る原因はいくつかありますが、雨が降るには、雲が必要です。**雲ができるということは、そこに上昇気流が発生しているということです**。空気の塊が上昇することによって空気が冷やされ（冷えたコップの周りに水滴が付くように）、水滴や氷の粒ができて、それが雲となるからです。

大陸の内陸に存在するタクラマカン砂漠では、水蒸気の供給が極めて少なく、ほとんど雨が降りません。しかし、雨がわずかに降る可能性がある場所があります。それが、盆地の縁にあたる部分です。**この地域に風が吹くと、盆地の縁のいずれかの場所に風が当たり、斜面を登ります。このときに、上昇気流が発生するのです。**

そのため、このタリム盆地では、盆地の縁に沿ってわずかな降水があり、その水や、雪解け水がオアシスに流れるのです。

現在は砂漠を縦断する道路が存在している

今でも、タクラマカン砂漠の主要交通路は、オアシス都市を東西方向につなぐ２本の道ですが、現在はタクラマカン砂漠を南北に縦断する「タクラマカン砂漠公路」も完成しています。

なぜ、不毛の地のタクラマカン砂漠を縦断するような道路がつくられたかというと、それは石油開発のためです。タクラマカン砂漠のど真ん中の地下６０００ｍから９０００ｍの超深度に中国最大規模の油田・天然ガス田が存在するというのです。そのため、中国は１９９３年から砂漠の縦断道路をつくり始め、１９９５年に１本目、２００７年に２本目が完成しました。写真を見ると、広大な砂漠のど真ん中に、巨大な油田が存在していることがわかります。

オアシス都市が数珠つなぎになっているシルクロード

シルクロードの主要な陸上交易路

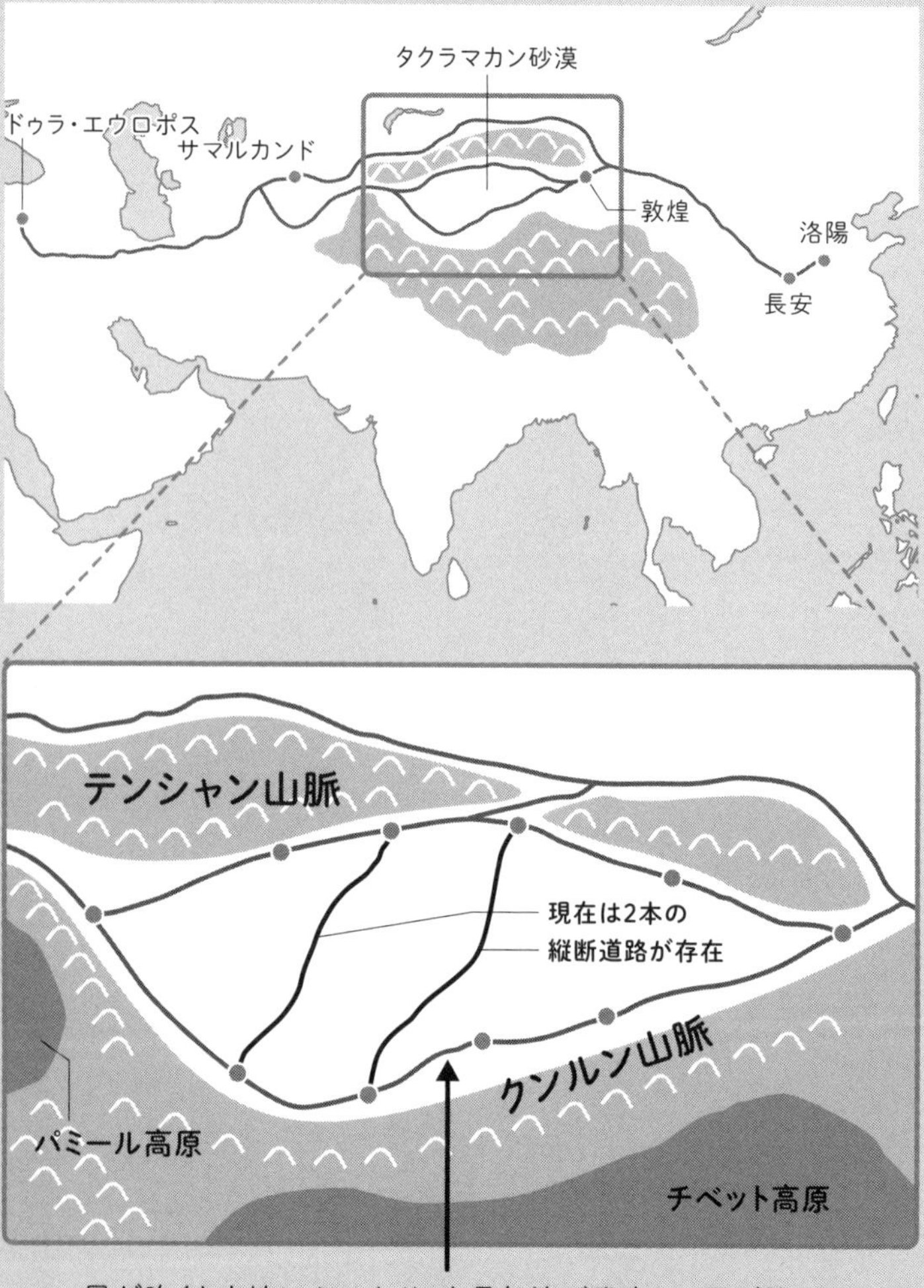

風が吹くと山地にぶつかり、上昇気流が発生して雨が降る。
→タクラマカン砂漠の外周に沿ってオアシス都市がつながる。

Number
43
世界遺産⑤

「トンブクトゥ」が「黄金の都」なのは金がたくさん採れるからではない！

世界史用語
トンブクトゥ

地理用語
隊商（キャラバン）　ワジ

サハラ砂漠の奥にあるという「黄金の都」

南米の奥地にある黄金郷「エル・ドラド」と同じように、アフリカの砂漠の奥地にある黄金の都としてヨーロッパの人々の心をひきつけてきた都市が、現在のアフリカのサハラ砂漠の国家、マリ共和国にある**トンブクトゥ**という町です。

トンブクトゥは14世紀頃から16世紀前半までは砂漠の交易都市として繁栄を極め、独特な様式の建物が建ち並び、現在は世界遺産に指定されています。

この町が「黄金の都」と呼ばれる理由には、この町周辺で金が採れる、ということよりも（多少の金は採れるのですが）、この町が位置する地理的な要因が大きいのです。

砂漠の隊商が交易路として利用した「ワジ」

トンブクトゥは、北の方からは砂漠の**隊商（キャラバン）**が訪れ、南の方からはアフリカ中西部の産物が集まる、その中間点にあたる都市です。

ＧＰＳなどない昔、砂漠の隊商たちはどうやって砂漠を越え、トンブクトゥに向かったのでしょうか。もちろん、広がる砂漠の真ん中をむやみに進むのではありません。そうした隊商たちが目印としたのが、砂漠の涸れ川である**「ワジ」**です。

砂漠にも、ごくまれにではありますが、雨が降るときがあります。砂漠では、雨が降るときは、大量に、しかも一気に降るという特徴があります。そうしたときに、降った雨が濁流となり、そのときにだけ出現する川が現れるのです。しかし、普段は雨が降らないために、その川の跡だけが残ります。この、**雨が降らないときのワジは道路のように延びていますので、交易路として利用されるのです。**

西アフリカの産物が集まっていたトンブクトゥ

サハラ砂漠周辺の地図をよく見てみると、サハラ砂漠には多くのワジが存在していることがわかります。特に、アルジェリア南部の、タハト山を中心とするアハガル高原付近から延びているワジが多いことに気が付きます。

砂漠で雨が降るとき、上昇気流が発生しやすいのは、高低差があるところに風が吹く場合です。そのため、サハラ砂漠の中でも、雨が降りやすいのはこのアハガル高原付近ということになるのです。

ヨーロッパからトンブクトゥに向かうには、チュニジアからアルジェリアあたりの地域に上陸し、ワジをたどりながら高原に向かい、こんどはワジをたどりながら高原を降りていけば、トンブクトゥの近くを流れるニジェール川流域に到達できるのです。

一方、トンブクトゥの南には、サハラ以南の西アフリカ地域があります。この地域には隊商たちがほしがるものが豊富にありました。

たとえば、ガーナとブルキナファソは現在でも金の産出量の11位と12位の国で、多くの金が産出されますし、現在のコートジボワールという国名の由来は「象牙海岸（コースト・アイボリー）」というぐらいなので、象牙が産出されました。そして当時、この地は奴隷の供給地でもありました。

こうした金や象牙、奴隷などがトンブクトゥに集まり、隊商たちが運んでくるイスラーム圏やヨーロッパの産物と交換されていたのです。

「黄金の都」トンブクトゥと隊商ルート

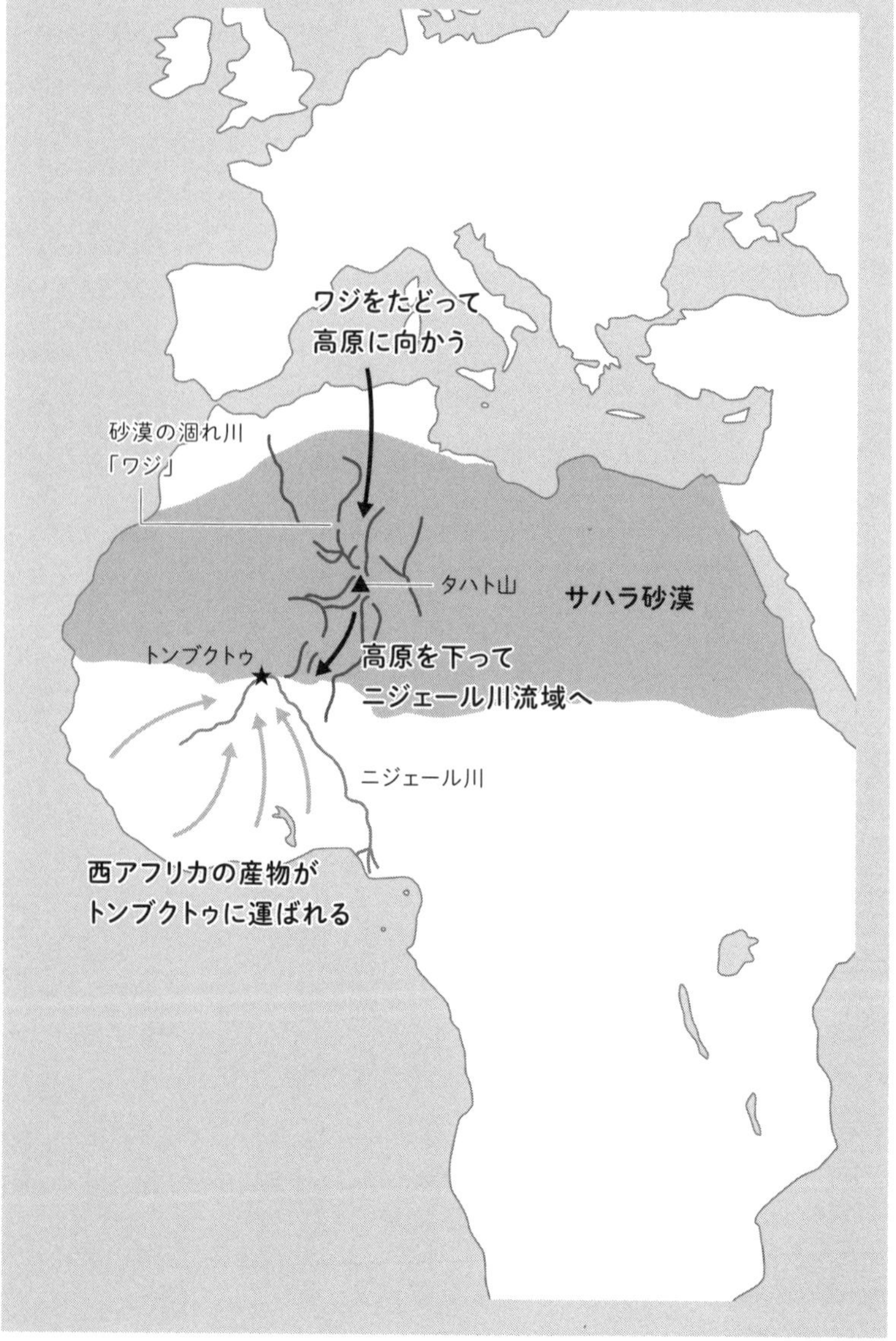

Number
44
世界遺産⑥

なぜ、イタリア付近に3つの「ミニ国家」があるのか？

世界史用語
イタリア統一戦争　サルデーニャ王国　サンマリノ　モナコ　バチカン市国　ローマ教皇　ムッソリーニ　ラテラノ条約

地理用語
領土　領海　排他的経済水域　共和国　君主国

資源が豊富で面積が広い国

小学校や中学校では、地理分野を学ぶ「はじめの一歩」として**領土**の面積が大きな国や、人口が多い国がよく取り上げられます。

世界の国の領土について、面積を広い順に並べるとロシア・カナダ・アメリカ・中国・ブラジル・オーストラリアという順です。国土の広い国は、豊富な資源と広大な農地を持ち、世界の経済に大きな影響を与えています。

日本の領土の面積は世界第61位です。ただ、海に囲まれた島国という特性から、**領海**と**排他的経済水域**を含めた「海を含む領域」と考えると、世界第６位になります。

面積が小さな国のランキング

反対に、面積が最も小さな国は、バチカン市国です。イタリアのローマの中心部に位置し、面積は約０・４４平方キロメートルと、東京ディズニーランドと同じくらいです。バチカン市国に続く、面積が小さな国のランキングは、２位モナコ、３位ナウル、４位ツバル、５位サンマリノと続きます。

ナウルやツバルは太平洋に浮かぶ島国なので、面積に限りがあるのはわかりますが、バチカンやモナコ、サンマリノは大陸であるヨーロッパの中に存在しています。

これらの国には、どういった歴史的な背景があるのでしょうか。

フットワーク軽く存続したサンマリノ

バチカン、モナコ、サンマリノの3国は、いずれもイタリアの領土の中か、もしくはイタリアに非常に近い場所にあります。これらのミニ国家の成立には、いずれもイタリアの歴史、特に「**イタリア統一戦争**」が大きくかかわっています。

「イタリア統一戦争」とは、19世紀半ばにイタリア北西部の**サルデーニャ王国**が多くの勢力に分かれていたイタリアの統一を成し遂げた戦争です。

サンマリノは、「世界で最も古い**共和国**」といわれる、４世紀から続く都市国家です。激動のヨーロッパ史において、うまく立ち回ることで（領土拡大のチャンスがあっても、あえて拡大をはからず、小国にとどまることを選択したこともありました）独立を維持しました。イタリア統一戦争のときも、統一運動の推進者であったガリバルディという人物をオーストリアの追撃からかくまったり、義勇軍を送り込んだりと、サルデーニャに協力的にふるまい、統一後の独立を認められました。**小国で資源が少ないことから外国に狙われにくく、断崖絶壁が多い地形や小国ならではのフットワークの軽さを生かして、ミニ国家ながら独立を保つことができたのです。**

国土の95%をフランスに売り渡して独立を維持したモナコ

モナコは、13世紀から続く「モナコ公」という君主が統治する**君主国**です。様々な国家の影響や支配を受けながらも独立を維持していましたが、フランス革命において革命軍に占領され、フランス領に組み込まれてしまいました。

ナポレオン戦争後の19世紀初頭に開かれたウィーン会議では、モナコはフランスの革命軍と戦ったサルデーニャ王国に譲られることになります。

そして、「イタリア統一戦争」が始まります。サルデーニャ王国は、統一のための軍事支援を得るため、フランスの力を借りることにしました。そのときに、モナコを含む地域がフランスに譲られることになったのです。しかし、その当時、モナコ公の支配下にあったマントンとロクブリュヌ＝カップ＝マルタンという2つの地域は、モナコへの税負担をいやがってモナコから独立宣言をしており、緊張状態にありました。

そこで、モナコ公は、フランスに2つの地域を売却することにして、フランスに直接統治をしてもらい、その代わりフランスにモナコの独立を保証してもらうことにしたのです。**そのときに売却した2地域の面積はなんとモナコの領土の95％にのぼりました。その結果、モナコは残り5％のミニ国家となり、フランスに完全に取り囲まれている世界で2番目に小さい独立国というスタイルになりました。**

ローマ教皇との和解で成立した世界最小の国家

世界最小の国家である**バチカン市国**のルーツは、キリスト教のカトリックの首長である**ローマ教皇**が支配する領土、すなわち教皇領にありました。19世紀の半ばの教皇領は、イタリア中部の広い範囲に及び、イタリアの様々な勢力のひとつとして存在していました。このタイミングで、サルデーニャ王国によるイタリア統一戦争が始まるのです。

この戦争において、教皇領は一部を残してサルデーニャに併合され、統一完成後にはイタリア王国が、完全に教皇領を併合してしまいました。**教皇領を奪われたローマ教皇は、バチカン宮殿に引きこもって、「バチカンの囚人」といわれ、イタリア王国と対立する関係になりました。**

このバチカンとイタリアの対立は、20世紀前半にイタリアでファシズムを展開した独裁者**ムッソリーニ**の時代まで続きました。ムッソリーニは**ラテラノ条約**という条約をローマ教皇と結び、**バチカン宮殿周辺の地を小さな独立国家として認め、和解をしたのです**。この和解はカトリックの信者が多いイタリアの国民に受け入れられ、ムッソリーニは自らの独裁に対する支持を高めることができたのです。

現在、サンマリノとバチカンは世界遺産に登録され、小さいながらも多くの観光客をひきつけています。フットワーク軽く存続を続けたサンマリノ、ほとんどの領土をフランスに売り渡して独立を保ったモナコ、一度はイタリアに併合されて復活したバチカンと、それぞれがイタリア統一戦争とかかわりながら、三者三様の歴史をたどって現在に至っているのです。

イタリア周辺の小国家

モナコ
イタリア統一戦争で
フランスの影響下に入るも
国土の95%を売却し独立を維持
サンマリノ
イタリア統一戦争に協力し
独立を承認される
バチカン市国
イタリア統一戦争で教皇領が
イタリアに併合されイタリアと対立するが
和解により成立

おわりに

テレビや新聞、インターネットなどの媒体でニュースを見たり、異文化に触れたりする中で、私たちは多くの「なぜ?」に出会います。

その「なぜ?」の多くが、歴史と地理、すなわち「時間的な背景」と「空間的な背景」の両方を持っているのです。

本書でも、できる限り多くの「なぜ?」を取り上げ、いろいろな視点から読み解いてみました。

ぜひ本書で紹介した視点を応用して、みなさんが日常生活の中で出会うさまざまな「なぜ?」について、歴史と地理、両方の側面から考えてみてください。

そうすることで、多くの学びや気づきが得られ、世界がより、興味深いものに見えるに違いありません。

本書では、世界史と地理を同時に見ることができる多くの「点」を選んで紹介しています。

しかし、この1冊で世界史と地理のすべての分野を網羅したわけではありません。本書はあくまで世界史と地理の「入口」にすぎません。

本書をきっかけに、世界史も面白そう、地理も面白そうだと興味を持って、ご自身で「点」を「線」や「面」の教養にしていただければ幸いです。

2023年11月
山﨑圭一

参考文献

■論文

「17・18世紀ヨーロッパの人口史的背景とイングランドの人口成長」原剛、城西大学大学院研究年報6号、1991年

「ロレーヌ地域における産業転換過程—鉄鋼業地域を中心に—」小田宏信、筑波大学人文地理学研究27、2003年

「ヨーロッパ史におけるアルザス＝ロレーヌ／エルザス＝ロートリンゲン地域問題：地域・言語・国民意識」石坂昭雄、札幌大学総合研究4号、2013年

「ペルー、インカ文明の経済基盤となった神秘のアンデネス（段々畑）」馬場範雪、ARDEC53号、2015年

「15世紀末のインド洋における交易関係」後藤伸、神奈川大学国際経営論集29巻、2005年

「ポーランド側からみたカリーニングラード」田口雅弘、ロシア・ユーラシアの経済と社会1042号、2019年

「ジャガイモ疫病研究—過去と現在の概観—」秋野聖之・竹本大吾・保坂和良、日本植物病理学会報80号、2014年

「トリニダードにおけるインド系住民の合意」北原靖明、パブリック・ヒストリー4号、2007年

「日本語が公用語として定められている世界唯一の憲法：パラオ共和国アンガウル州憲法」ダニエル＝ロング・今村圭介、人文学報503号、2015年

「ペスト菌の病原性：細菌学的・分子生物学的性状」和気朗、日本細菌学雑誌50巻3号、1995年

「ポーランドの金属鉱物資源」平野英雄、地質ニュース530号、1998年

「宋代の鐵について」吉田光邦、東洋史研究24巻4号、1966年

「熱帯の茶の栽培について」杉井四郎、熱帯農業16巻4号、1973年

【中国】黒土保護法の制定」湯野基生、外国の立法293—1、2022年

「中国における石炭産業の構造変化と制度設計」孟健軍、RIETI Discussion Paper Series 16、2016年

「中国における「方言」—境界と越境—」岩田礼、言語文化の越境、接触による変容と普遍性に関する

比較研究1、2017年
「物価と景気変動に関する歴史的考察」北村行伸、金融研究21巻3号、2002年
「南アジア緊張の火種・カシミール問題を考える」武藤友治、RIM環太平洋ビジネス情報No.42、1998年

■教科書・資料集
『世界史探究 詳説世界史』木村靖二他（山川出版社）
『世界史探究』福井憲彦他（東京書籍）
『新詳地理探究』矢ケ崎典隆他（帝国書院）
『地理探究』手塚章他（二宮書店）
『アカデミア世界史 時代と地域の羅針盤』（浜島書店）
『最新世界史図説 タペストリー 二十一訂版』（帝国書院）
『グローバル ワイド最新世界史図表 四訂版』（第一学習社）
『新詳地理資料 COMPLETE2023』（帝国書院）
『新詳資料 地理の研究』（帝国書院）
『新編 地理資料』（東京法令出版）
『データブック・オブ・ザ・ワールド2023』（二宮書店）
『新詳高等地図』（帝国書院）

■書籍
『土　地球最後のナゾ』藤井一至（光文社新書）2018年
『言語世界地図』町田健（新潮新書）2008年
『地図で見るオセアニアハンドブック』ファブリス＝アルグネス他（原書房）2023年
『リガ条約』安井教浩（群像社）2017年
『コモンウェルスとは何か』山本正・細川道久（ミネルヴァ書房）2014年
『地殻の進化』平朝彦他（岩波書店）2011年

『地球内部ダイナミクス』鳥海光弘他（岩波書店）2011年
『マゼラン　最初の世界一周航海』長南実訳（岩波文庫）2011年
『ヴァスコ・ダ・ガマ』生田滋（原書房）1992年
『図説世界史を変えた50の植物』ビル＝ローズ（原書房）2012年
『地理学と歴史学～分断への架け橋～』アラン＝ベイカー（原書房）2009年
『壊血病とビタミンCの歴史』ケニス＝J＝カーペンター（北海道大学出版会）1998年
『地球を「売り物」にする人たち』マッケンジー＝ファンク（ダイヤモンド社）2016年
『エネルギーをめぐる旅』古舘恒介（英治出版）2021年
『黄金郷（エルドラド）伝説』山田篤美（中公新書）2008年
『世界の今がわかる「地理」の本』井田仁康（三笠書房）2023年
『ダイヤモンド 欲望の世界史』玉木俊明（日経プレミアシリーズ）2020年
『世界がわかる地理学入門』水野一晴（ちくま新書）2018年
『海と船と人の博物史百科』佐藤快和（原書房）2000年
『物語オランダの歴史』桜田美津夫（中公新書）2017年
『経済は地理から学べ！』宮路秀作（ダイヤモンド社）2017年
『すべてがわかる世界遺産大事典〈上〉〈第2版〉』世界遺産検定事務局（世界遺産アカデミー）2020年
『すべてがわかる世界遺産大事典〈下〉〈第2版〉』世界遺産検定事務局（世界遺産アカデミー）2020年
『測る世界史』ピエロ＝マルティン（朝日新聞出版）2023年
『国マニア』吉田一郎（ちくま文庫）2010年
『「なぜ!?」からはじめる世界史』津野田興一（山川出版社）2022年

著者略歴

山﨑圭一（やまさき・けいいち）

福岡県公立高校講師。1975年、福岡県太宰府市生まれ。早稲田大学教育学部卒業後、埼玉県立高校教諭、福岡県立高校教諭を経て現職。昔の教え子から「もう一度、先生の世界史の授業を受けたい！」という要望を受け、YouTubeで授業の動画配信を決意。2016年から、200回にわたる「世界史20話プロジェクト」の配信を開始する。現在では、世界史だけでなく、日本史や地理の授業動画も公開しており、これまでに配信した動画は600本以上にのぼる。授業動画の配信を始めると、元教え子だけでなく、たちまち全国の受験生や教育関係者、社会科目の学び直しをしている社会人の間で「わかりやすくて面白い！」と口コミが広がって「神授業」として話題になり、瞬く間に累計再生回数が3,000万回を突破。チャンネル登録者数も14万人を超えている。著書に『一度読んだら絶対に忘れない世界史の教科書』『一度読んだら絶対に忘れない日本史の教科書』『一度読んだら絶対に忘れない世界史の教科書【経済編】』『一度読んだら絶対に忘れない世界史人物事典』『一度読んだら絶対に忘れない地理の教科書』（以上、小社刊）などがある。

世界史《せかいし》と地理《ちり》は同時《どうじ》に学《まな》べ！

2023年12月31日　初版第1刷発行
2024年9月6日　初版第6刷発行

著　者　山﨑圭一
発行者　出井貴完
発行所　SBクリエイティブ株式会社
〒105-0001　東京都港区虎ノ門2-2-1
装　丁　西垂水敦（krran）
本文デザイン　三枝未央（Isshiki）
本文図版　さかがわまな（Isshiki）
DTP・図版　クニメディア株式会社
編集担当　鯨岡純一（SBクリエイティブ）
印刷所　中央精版印刷株式会社

本書をお読みになったご意見・ご感想を
下記URL、またはQRコードよりお寄せください。

https://isbn2.sbcr.jp/20202/

落丁本、乱丁本は小社営業部にてお取り替えいたします。定価はカバーに記載されております。本書の内容に関するご質問等は、小社学芸書籍編集部まで必ず書面にてご連絡いただきますようお願いいたします。

ISBN 978-4-8156-2020-2